転生する物語
アダプテーションの愉しみ

渡辺諒

目次

まえがき

昨今「アダプテーション adaptation」論議が喧しい。アダプテーション理論の提唱者ハッチオンの『アダプテーションの理論』（二〇〇六年）も翻訳・紹介され、さまざまな分野で本格的なアダプテーション研究が始まっている。元来、小説・戯曲の改作・脚色を意味する映画用語ということもあり、映画のアダプテーション研究が多いが、文学・音楽・演劇等の分野においても「脚色・潤色」研究は市民権を得始めている。

「作品は自律的な完成品ではない。アダプテーションとは、先行する作品を意図的、明言的、拡張的にとらえ直すこととして分析されなければならない」「複製ではない反復」（ハッチオン）。

どこまでも二次性にこだわるかぎり、オリジナル―コピーのヒエラルキーは変わらない。とはいえ、コピーがなければオリジナルは存在しない。いや、オリジナルあってのコピーだろう、という反論がすぐ聞こえてきそうだが、小説であれ戯曲であれ、ある任意の作品が最初から原作と呼ばれることはない。翻訳・翻案があってはじめて生まれるのが「原作」だ。コピーがあってはじめてオリジナルが存在するように。したがってここでは、原作―翻案を一次・二次関係として捉えるのではなく、あくまでセットとして捉えることが基本方針だ。原作→翻案（どちらかといえば翻案される側に着目）、あるいは翻案→原作（どちらかといえば翻案する側に着目）といった単一方向で両者を捉えるのではなく、両者のたえざる往還運動のうちにこそ、原作―翻案の魅力は存在すると思われるからだ。

翻訳 translation/traduction ではなく、翻案 adaptation。原作を忠実に再現することを旨とする翻訳に対し、翻案は、いわば原作を改変し、換骨奪胎する作業のこと。リフォームやリメークといった言葉をイメージすればいいだろう。小説であれ戯曲であれ、それらは読まれる/演じられることによってはじめて「作品」として成立する。ただしそこに、こう読まれるべき/こう演じられるべきといった「正解」はない。さまざまな「読み」が可能だ。いや、その読解可能性こそが、作品を作品たらしめているといっても過言ではない。翻案は、あまたの読解可能性のひとつといっていい。それこそ、作者の死＝読者の誕生と呼ばれるものにほかならない。なぜ改変するのか、改変することによってどんな効果が得られるのか/得られたのか。作品＝原作の隠された、しかし無尽蔵の魅力を知るうえでも、翻案が面白い試みであることはたしかである。

ここであえて翻案という言葉にこだわるのは、近代日本の文化輸入――「直輸入派と和洋折衷派の対立」(渡辺裕)――という文脈を考慮してのことだ。劇団四季の戦略と宝塚歌劇団の戦略の違いがいちばんわかりやすい例といえるが、宝塚自身にも、本格歌劇(オペラ)の導入 VS 歌舞伎の現代劇化という対立があったといわれているし、なにより、明治初頭のシェイクスピア翻案劇の隆盛に対して、坪内逍遥が正確な翻訳を主張したという歴史的経緯もある。ことは芸能・芸術にとどまらない。日本の文化現象を考えるとき、翻訳・翻案の問題はさけて通れない。

さらに、原作が古いものほど質・量ともにその研究も豊富で、現代の作品にいかにそれらが反映されているか見てとれるかはいうまでもない。が、原作が新しいものほど、いまだ翻案作品、とりわけミュージカル作品の本格的な翻案研究は驚くほど進んでいない。エンターテインメント一般に対する低評価も加わり、いまだ発展途上の段階にあるといっていい。本書にいくばくかの意味があるとすれば、いくつかのミュージカル作品が評価に充分値するそれであることを示したということだ。なるほど、歴史が新しいだけに、それらが真に評価に値するかどうか、即座に判別できないという見方もあろう。しかし、すくなくとも再演されているもの、古典化しつつある作品にはそれなりの存在理由がある。マーケティングだけの問題ではないはずだ。ハイカルチャーとサブカルチャーの境界がゆらぎはじめ、文化の在り方、芸術・芸能に対する見方が大きく変わり始めているいま、もはや、芸術か芸能か、アートかエンターテインメントかの二項対立に固執するときではないだろう。アート＝エンターテインメントという新しいカルチャーの可能性として翻案ミュージカルを捉えることはできないだろうか。原作も面白いが、翻案作品も負けず劣らず面白い。

ここでは、『ロミオとジュリエット』『マクベス』『ドン・ジュアン』『カルメン』『レント』『オペラ座の怪人』『星の王子さま』の七作品を扱う。いずれも、著名な人気作品だ。原作—翻案の素晴らしさをぜひ堪能していただきたい。本書がその手助けになれば、こんな嬉しいことはない。

なお、引用文と地の文で表記は必ずしも同じではない。特に翻訳の場合、既訳のあるもの（オペラ、映画、舞台、宝塚等々のCDあるいはDVD所収のもの）はそれらを参照したが（文脈上、一部変更した箇所もある）、それ以外（特にフランス語）は拙訳である。読者の皆さまのご理解・ご寛恕を願いたい。

第1章

ロミオとジュリエット
夜と昼、死と生の神話

フランス発ミュージカル『ロミオとジュリエット』の日本語版（宝塚歌劇星組による翻案ミュージカル）が、二〇一〇年夏、大阪と福岡で上演され、好評を博した。『ロミジュリ』という物語自体、宝塚にふさわしい題材といえるが、この新しいタイプの「スペクタクル・ミュジカル」[1]は、ロイド・ウェバー流の「ロック・オペラ」の延長上にあり、ほとんど全篇、歌と踊りからなり、従来のブロードウェイ・ミュージカルはもちろんのこと、「ドラマ・ミュージカル」と評されるウィーン発ミュージカル『エリザベート』とも、ひと味違うミュージカルとなり得ている。徹底して、歌とダンスで魅せる！　のが特徴だ。

とはいえ、なぜいま『ロミジュリ』なのか。その魅力はどこにあるのか。原作、オペラ、バレエ、映画、ストレートプレイ、ミュージカルと、あまた存在する翻案のなかで、とりわけミュージカル版の検討を通して本作の魅力に迫りたい。

「原作」というカテゴリー自体、翻案の産物といっていいが、ここではまず『ロミオとジュリエット』の「夜の恋」に光をあてることにしよう。

シェイクスピア『ロミオとジュリエット Romeo and Juliet』

[あらすじ]

物語の「プロローグ」は以下のように始まる。

花の都のヴェローナに
肩を並べる名門二つ、
古き恨みが今またはじけ、
町を巻き込み血染めの喧嘩。
敵同士の親を持つ、
不幸な星の恋人たち、
哀れな悲惨な死を遂げて、
親の争いを葬ります。（プロローグ[2]）

舞台はイタリアのヴェローナ。「名門二つ」とは、モンタギュー家とキャピュレット家の両家であり、昔からいがみあっている敵同士の家である。そんな親をもつ「不幸な星の恋人たち」とは、いわずと知れたロミオ（モンタギュー家）とジュリエット（キャピュレット家）。ふたりは仮面舞踏会で知りあい、瞬く間に恋に落ち、翌日には秘密裏に結婚する。しかしロミオは、キャピュレット夫人の甥であり、ジュリエットの従兄弟ティボルトを殺害。それは、ロミオの友人マキューシオがティボルトに殺されたことへの報復であったが、その科《とが》によりロミオは追放の身となる。一方ジュリエットは、ヴェローナ大公の親戚で若き伯爵パリスとの結婚を迫られるが、フランシスコ派修道僧ロレンスの機転⁉　で、四二時間後に目覚める仮死薬を飲み、埋葬される。しかし、その死が仮のものという事実を知らせる手紙はロミオに届かず、絶望したロミオは彼女が眠る納骨堂に向かい、そこに居合わせたパリスを殺したのち、毒を飲んで息絶える。やがて目覚めたジュリエットも、こと切れているロミオを見て、絶望のあまりあとを追う。かくして、ふたりの死によって両家はついに和解に至る。

1．概略

シェイクスピアの『ロミオとジュリエット Romeo and Juliet』は、一五九四〜九五年頃の作品とみなされるが、元来は、イタリアはバンデッロの『ロミオとジュリエッタ』（一五五四年）に端を発し（ただしこれ自体、ダ・ポルト『ジュリエッタの物語』を書き直したもの）、フランス語訳を経由して、イギリスのアーサー・ブルックが長詩『ロウミアスとジュリエット』（一五六二年）に翻訳したものがベースになっている。(3)シェイクスピアのほかの作品同様、シェイクスピアのまったくオリジナルな作品ではなく、いわば翻案といっていいが、ジュリエットの年齢をかなり低くし（バンデッロでは一八歳、ブルック版では一六歳のヒロインを、あと二週間で一四歳になる一三歳のヒロインに変更した[4]、ブルック版では九ヶ月に及んでいた物語をたかだか六日（数え方によっては四日にも五日にもなる）の出来事に短縮した。そうすることによって、若さゆえの暴走を可能にするスピード感と緊迫感が生まれたであろうことは、容易に想像できよう。

2．夜の逢瀬

「生がその最高の燃焼の瞬間に死を呼ぶ逆説[5]」といわれるこの戯曲で特徴的なのは、ロミオとジュリエットがほとんど夜にしか会わない、いや会えないという事実だ。最初に出会うのは仮面舞踏会であり、有名なバルコニーのシーンが成立するのも夜であればこそだろう。翌日、教会で秘密裏に結婚するものの、ふたりが太陽のもと手に手をとって街を闊歩したといった記述はなく、一挙にジュリエットの寝室（初夜の場面）に進む。明け方、ロミオはひばりの声とともにこの地を離れざるを得ず、結果的にそれがジュリエットとの最後の別れとなってしまう。つぎに会うのは、いうまでもなく納骨堂であり、彼らはまるで死に向かって疾走しているかのようだ。夜は闇に、そして死に通ずるとすれば――。

彼らはいわば、夜の恋に生きるふたりであり、「恋は盲目」とするなら、夜＝闇こそふたりの恋にふさわしい。事実、ジュリエットはつぎのように宣言する。

恋する者に光はいらない。互いの美しさが相照らし、
愛の儀式を行える。恋が盲目なら、
なおさら夜こそふさわしい。（…）
早く来て、夜よ。来て、ロミオ、夜を照らす太陽、
だって、夜の翼にまたがるあなたは、
黒い鴉の上に降り積む初雪よりも白いもの。（三幕二場＝三－二）(6)

ロミオにとってもジュリエットは「太陽」（二－二）であり、互いが「夜を照らす太陽」であるということは、とりもなおさず、彼ら自身がすでに夜＝闇を生きていることを意味しよう。出会う前のふたりといえば、ロミオは、ジュリエットの従姉であるロザラインに恋い焦がれつつも報われない想いに悶々とし、ジュリエットもまた、「箱入り娘」であることに囚われていた。

この作品自体、全篇、死に覆われているといっても過言ではないが（プロローグの一節に「死相の浮かんだ恋の道行き」とある）、ロミオとジュリエットが、生きながらにして死んでいる「生ける屍」と評されることがここでは重要だ。舞台に現れるやいなや、ロミオは恋に恋する「生ける屍 I live dead、死んだも同然」（一－一）と叫び、「ぼくは、自分を見失ってしまい、ここにはいないんだ。ここにいるのはロミオじゃない。ロミオはほかのどこかにいる」（同上）とひとりごつ。他方ジュリエットは、物語の最後で仮死状態に至り、文字通り「死人の墓に収められた哀れな生きた屍 living corse」

（五－二。ロレンス神父の言葉）と化す。

『ロミオとジュリエット』は「生ける屍」がもはや「生ける屍」であることをやめ、真の「屍」と化すドラマということができるが、では、彼らを死へと駆り立てるものはなんだろう？　彼らはなぜ死ななければいけないのか、いけなかったのか？　いうならば、彼らは真に「生きる」ために「死ぬ」のだ。「生ける屍」であることをやめるとは、真に「生きる」ことであり、同時に真の「屍」と化すことだから。「確かに死ぬ。そのためにここに来たのだ」（五－三）とは納骨堂でのロミオの言葉であり、「ああ、うれしい短剣。この体をおまえの鞘にして。ここで錆びて、私を死なせて」（同上）とは、ジュリエットの最後の台詞である。

とはいえ、ふたりの「夜」は果たして同じ「夜」だったのだろうか？　「夜を照らす太陽 day in night」と言うのはジュリエットであり、ロミオは「太陽 the sun」としか言っていない。その台詞を見てみよう。「あの窓からこぼれる光は何だろう？／向こうは東、とすればジュリエットは太陽だ！／のぼれ、美しい太陽よ、妬み深い月を消してしまえ。（…）日の光を浴びた灯火さながら。空に輝くあの瞳は、／明るくあたりを照らし出し、／鳥たちも昼かと思ってさえずるだろう」（二－二）。

右頁のジュリエットの台詞（「恋する者に光はいらない」云々）との微妙な、しかし決定的な差異に注意しよう。たしかに、互いが互いにとって「夜を照らす太陽」であることに変わりはない。しかし、ジュリエットはより闇を求め、光を斥ける。なぜなら、ロミオが「太陽＝光」だから。ロミオもまた、ジュリエットに「太陽＝光」を見てとる。しかし、それは闇を斥ける「日の光」、恋する者を光ある世界へといざなう「太陽」にほかならない。ジュリエットは夜が明けないことをひたすら願い、ロミオは夜が明けることを乞い願う。彼女が昼のなんであるかをすでに知っているのに対し、彼はいまだ昼のなんであるかを知らない。「昼でも夜の暮らしをしている」（一－一）からだ。ロミオにとって「夜」は、あくまで彼を優しく包みこみ慰撫する「夜」であって、出口の見えぬ「呪われた夜」ではない（「ああ、すばらしい、すばらしい夜！／夜だから、これはみんな夢ではないか。／夢のように甘すぎる。現実とは思えない」〈二－二〉）。

ジュリエットは「夜を照らす太陽」を希求し、ロミオは「心の闇を晴らす太陽 all-cheering sun」（父モンタギューの言葉〈一－一〉）から必死に逃れようとする。一方は「現実の闇」を生き、他方は「心の闇」を生きているといったらいいだろうか。

夜を一層深くする「太陽」と夜を反転させる「太陽」。畢竟、彼らは互いのうちになにを見ているのだろう？　ふたりの「夜」の微妙なずれは、最終的にふたりの「恋」そのものに微妙なずれを与えはしないだろうか。ロミオの「恋」が夜と昼の反転にとどまるのに対し、ジュリエットのそれが夜と昼の両義性に通じるとすれば——。

3．死への疾走

そもそも無から生まれた有だ！
くだらぬことで憂いに沈み、戯れ事に真剣になる。
恋と呼べば聞こえはいいが、その内実はどろどろだ！
まるで鉛の羽、輝く煙、冷たい炎、病んだ健康、
覚醒した眠り、休まらぬ休息といったところだ！（一－一）

「対照の激しさ」をもっとも簡潔に表現する手法といわれるオクシモロン（撞着語法）はシェイクスピア特有のレトリックだが、恋を「分別ある狂気 madness most discreet」と断ずるロミオは、いまだ恋に恋する青年であって、レトリックを弄んでいる、いやレトリックに弄ばれているようにしか思われない。

対して、ロミオによるティボルト殺害を知ったジュリエットは、ロミオを以下のように評する。

「美しい暴君、天使のような悪魔、／鳩の羽持つ鴉、狼のように貪る羊！／見かけは最高に神々しく、その実体はおぞましい！／外見と内実は正反対！／呪われた聖人、徳高い悪党！／ああ、地獄は一体どうなるだろう、／この世の楽園のようなあのすてきな肉体に／悪魔の魂が宿るなら？」（三－二）

オクシモロンは両義性 ambiguïté の認識に通じる。恋が、夜と昼の両義性——夜は同時に昼であり、昼は同時に夜である——を帰結させるように、夫ロミオのあり得ない殺戮行為が、ジュリエットをして、図らずも人間の両義性の認識へと至らしめていることは興味深い。曰く、人間は天使であると同時に悪魔、この世は地獄であると同時に楽園である。そこから生と死の両義性までは、ほんの数歩だろう。

ここで忘れてならないのは、シェイクスピアの大きな改変として指摘されるマキューシオと乳母の存在だ（ちなみに、マキューシオはバンデッロ版には登場せず、ブルック版でも影が薄い存在である）。マキューシオはロミオの分身であり、乳母は単なるおしゃべり女ではなく、ジュリエットの心の友としての役割を与えられているという。[7] ふたりのキャラクターが、この作品にコミカルで猥雑な雰囲気を与えていると同時に、ロミオとジュリエットにもっとも近い「俗物」として存在していることはたしかだ。ふたりのもとを離れるとき、ロミオとジュリエットは「分身」「心の友」を失い、一直線に悲劇へと向かう。

「分身」マキューシオの死は、ロミオの死を先取りする。要するに、ロミオは終生「心の闇」、いや「現実の闇」から逃れ得ない。彼は、ジュリエットの（仮）死を前にして、納骨堂が「光にあふれた宴の席」（五－三）に一変していることに気づく。「夜の帳の宮殿」がいま「とこしえの安らぎの場所」と化していることに。彼はついに、「夜」が「光」であること、「死」が「生」であることを知るのだ。一方、ロミオとの結婚に理解を示したにもかかわらず、ティボルト殺害のあとに一変してパリスとの結婚を勧めた乳母は、ジュリエットの心を深く傷つけたばかりでなく、ロミオ同様、乳母の両義性——彼女の言動はジュリエット可愛さのなせる業であり、その態度は一貫して変わらないという見方もできようが——をいやおうなしに認識させることになったはずだ。彼女はもはや「死ぬ」ことを恐れない。むしろ進んで薬を飲もうとする。乳母の裏切りが、ジュリエットの「自立」を決定的なものにしたことは否めない。そして図らずも、そのジュリエットの死が、ロミオの「自立」を促したであろうことも。

ふたりは死に向かって疾走する。彼らの「死」は一見「純愛心中」に見えるが、見誤ってはならないのは、彼らは同時に一緒に死ぬのではなく、時間差をもって死ぬということだ(8)。あくまで誤解のままに死ぬのであり、そのかぎりでは、愚かな死としかいいようがない。そこに作者シェイクスピアのアイロニーが感じられるが、にもかかわらず、ふたりの死が感動的であるのは、彼らの行為にはみじんの迷いもなく、結果として、生と死の反転、生と死の両義性をストレートに見せてくれるからだ。

加えて、そこには、ロミオはティボルト殺害の罪を贖い、ジュリエットはそのロミオの罪(ティボルトおよび、パリス殺害の罪)を贖うという贖罪のテーマが透けて見える。彼らの贖罪としての死は、じつは残された人間たちの罪をあらわにし、かつその罪を贖わねばならないことを示唆する。要するにロミオとジュリエットは、いわば人々が担うべき贖罪としての死を担わされているということだ。いや、こういう言い方はいまだ感傷的すぎるかもしれない。改めて問おう。なぜ、ロミオとジュリエットは死ななければならなかったのか。

そら、金だ。人の心を腐らせる猛毒だ。
忌まわしいこの世では、売買禁止のこの微々たる薬より、
多くの人を殺めてきた毒だ。
　薬を売るのは私のほう、おまえではない。（五－一）

　このロミオの台詞にすべてが集約されている。(9) ジュリエットの死の知らせを受けたロミオは、毒薬を売ることは法律で禁じられているとためらう薬屋に、「この世もこの世の法律も、おまえの味方をしてくれぬ」と薬を売るよう激しく迫る。ロミオは、この世の法を破った罪人。親の決めた結婚を拒否し、当時の社会規範を逸脱したという意味では、ジュリエットもまた同罪だろう。彼らはこの世ではもはや生きていけない、この世の法が変わらないかぎり。では、この世を統べている「法」とはなにか。それこそ「金」（およびそれが可能にする権威・権力）、多くの人を殺めてきた、そしていまなお殺めている金＝猛毒にほかならない。ジュリエットの結婚の目的が「金」（厳密には、パリスとの結婚による家名の向上）にあったことはいわずもがなであろう。
「運命の星を敵に回して戦おう！」と宣するロミオはここにきてはじめて知るのだ。この世の不条理を、そして、「恋」に生きることがなにを意味するかを。

ロビンズ／ワイズ『ウエスト・サイド・ストーリー West Side Story』

1．概略

『ロミオとジュリエット』のオペラ版としては、ベッリーニ（『カプレーティ家とモンテッキ家』一八三〇年）、グノー（一八六七年）の作品が有名だが、グノー版では、最後の「すれ違いの悲劇」は緩和され、ロミオとジュリエットの二重唱となる。ロミオが先に死んでしまっては、二重唱が成立しないというのがその理由のようだが、オペラ的制約のなせる業といえよう。プロコフィエフ作曲のバレエ版（一九三五年）も多く、ざっとその振付師の名をあげただけでも、ニジンスカ＝バランシン（一九二六年）、ヴァンヤ・プソタ（一九三八年）、レオニード・ラブロフスキー（一九四〇年）、ジョン・クランコ（一九五八年）、ケネス・マクミラン（一九六五年）、ジョン・ノイマイヤー（一九七一年）、ルドルフ・ヌレエフ（一九七七年）と枚挙にいとまがない。バレエ版は純粋にロミオとジュリエットの恋愛悲劇に特化しているのが特徴だ。

映画版も、古くはジューージ・キューカー（米、一九三六年）、レナード・カステッラーニ（英伊、一九五四年）等が映画化しているが、なんといっても有名なのは、フランコ・ゼフィレッリ版（英伊、一九六八年）。原作にもっとも近い年齢の無名のふたり（レナード・ホワイティングとオリビア・ハッセー）を起用した青春映画であり、それまでの映画の主人公たちの年齢の高さを思えば、はち切れんばかりの若さが魅力だった。近年では、レオナルド・ディカプリオ主演で現代版を撮ったバズ・ラーマンの『ロミオ+ジュリエット』（米、一九九六年）、さらにはこの物語がシェイクスピアの実体験から生まれたかのように描いたジョン・マッデンの『恋に落ちたシェイクスピア』（米、一九九八年）が記憶に残る。バズ・ラーマン版は、舞台を現代に移し、全篇面白おかしくパロディ化されているぶん、ロミオとジュリエットの「直情」がより浮き彫りにされた作品だ。つまり、愛も憎しみも、じつはベクトルの向きが違うだけで強度は同じである、と。なによりこの作品で特徴的なのは、ロミオとジュリエットが時間差で死ぬのではなく、ロミオが毒を飲んだ直後にジュリエットが目覚め、ほぼ同時にふたりが死んでいくことだ。

とはいえ、あまたある映画のなかでもっとも有名な作品といえば、ロバート・ワイズ／ジェローム・ロビンズのミュージカル映画『ウエスト・サイド物語』（一九六一年）であろう。もともとこの作品は、一九五七年八月にミュージカル舞台作品がワシントンで初演され、同年九月以降、ブロードウェイ・ミュージカルとして大ヒット。当初、ジェローム・ロビンズ（演出・振付）、レナード・バーンスタイン（作曲）、アーサー・ローレンツ（脚本）の三人が集まり、ロミオをユダヤ人青年、ジュリエットをカトリック娘に置き換えた悲恋『イースト・サイド・ストーリー』として構想されたが、のちにプエルトリコ人の多いウエスト・サイドに舞台を移し、『ウエスト・サイド・ストーリー』に生まれ変わった（右記三名に加え、作詞家としてスティーヴン・ソンドハイムが名をつらねた）。クラシックバレエ、クラシック音楽、純粋演劇という、いわゆるハイカルチャー出身者たちによる新しいアメリカン・ミュージカルへの挑戦。『ウエスト・サイド・ストーリー』は、従来のハッピーエンド型ミュージカルとは異なる、「悲劇的ミュージカル・コメディ」「悲劇のミュージカル化 tragic story in musical-comedy termes」[10]という画期的な試みだった。映画版は、ロビンズ（ミュージカル場面）とワイズ（物語場面）が共同で監督にあたることになったが、ロビンズは途中から外された（しかし、最終的には両監督の名が冠せられた）。

映画『ウエスト・サイド物語』DVD。トニー役のリチャード・ベイマー、マリア役のナタリー・ウッド。

2. 反転する差別／被差別

舞台は一九五〇年代後半のニューヨーク。ワイズの監督作品『サウンド・オブ・ミュージック』（米、一九六五年）冒頭の、ザルツブルクの山並を鳥瞰的に捉えるカメラワークと同様に、映画はニューヨーク全体を俯瞰するカメラ・ワークで幕を開ける。マンハッタン島上空から、下町ウエスト・サイドに大きく移動するプロローグは、ニューヨークの街と音楽、そしてダンスの融合を図った印象的な幕開きだ。ダンスシーンは、俯瞰撮影もさることながらローアングルのショットが多く、ダイナミックな群舞を舞台さながらに再現するのに役立っている。音楽も、クラシックを基盤としながらも、ラテン、マンボ、ジャズとバラエティーに富み、緩急自在。言葉以上に音楽に、音楽以上にダンスに想いを託すかのように、なによりも、歌と踊りの自然な一致が夢見られ、目指された。演出・振付のロビンズは、歌手とダンサーの分離を嫌い、ひとりの役者が「歌って踊って演技する」[11]ことを担えるよう要求したという。その狙い通り、これほど音楽とダンスとドラマが一致したミュージカルも珍しい。傑作といわれる所以だ。

モンタギューとキャピュレットの両家は、二組の不良グループ、イタリア系ほかヨーロッパ系移民からなるジェット団とプエルトリコの移民で組織されたシャーク団に置き換えられた。一九〇〇年以降、プエルトリコはアメリカ合衆国の領土となったが、独立を目指すテロ騒ぎが続き、一九五二年にコモンウエルス（準州もしくは自由連合州）として内政自治権を付与された。しかし、事態はさほど改善されず、多くの農村人口がアメリカの大都市に移住したといわれる。『ウエスト・サイド・ストーリー』の背景には、そのような歴史が見え隠れする。

ロミオは、ジェット団の首領リフの昔の仲間トニー（ポーランド系）として登場する。となると、リフはマキューシオといっていいだろうか。一方ジュリエットは、シャーク団の首領ベルナルドの妹マリア。乳母役は、ベルナルドの恋人で洋裁店を経営するアニタだろう。原作と違って、ふたりの両親——マリアの父の声だけは聞こえるが——は登場しない。そのぶん、ベルナルドとマリアが兄妹であり、かつアニタが兄の恋人であるだけに、マリアとの関係はより緊密である。加えて、トニーが働くドラッグ・ストアの主人ドクがロレンス神父に該当するのだろうが、原作ほど重要な役割は演じておらず、パリス役のチノもシャーク団の手下にすぎない。要するに、ジェット団とシャーク団の対立が前景化し、親子関係はほとんど描かれない。シェイクスピア版で強く押し出されていた親と子、大人と青年の対立というテーマは後退し、移民同士である若者たちの抗争がドラマの中心である。大人たちは不信の対象でしかない。

とはいえ、ここで注意しなければいけないのは、原作と違って二つのグループは必ずしも対等ではなく、同じ移民でありながら、白と褐色の「肌の対立」として表象されていることだ。ともに大人社会から疎まれる集団でありながら、さらに白色 ∨ 褐色（有色）のヒエラルキーが歴然とあることを忘れてはならない。そのことは、彼らが軽蔑するシュランク警部補の言葉からもあきらかだ。ドクの店に現れた彼は、まずシャーク団を店から追い返し、ジェット団に「お前らの味方さ／いざとなれば手を貸す」とおもねろうとする。しかし最終的には、「お前らが生きてたら、俺が殺す！」とわめきちらすことになるのだが。

同じ移民でありながら、比較的早い時期にヨーロッパからやってきた旧移民と後発部隊である新移民との間にすでに存在する対立。他方、有色人種は有色人種で、あきらかに褐色 ∨ 黒色のヒエラルキーがあることも事実である。ジェット団はシャーク団に関しては差別者といっていいが、対白人移民に対しては、被差別者といっていい。シャーク団もジェット団に対しては差別される側にあるが、ではたとえば、黒人に対してはどうだろう。かくして、両者の対立を差別／被差別と単純にくくることは早計だ。差別／被差別がたえず反転することに、この作品の鍵は隠されているのだから。

体育館のダンスパーティの場面では、ジェット団とシャーク団の対立がより鮮明に描き出されるが〈音楽と踊りだけで台詞はない〉、〈アメリカ〉のシーンでは、同じシャーク団のなかの対立が、男女のかけあいのかたちで歌われる。映画版が男女のかけあいになっているのに対して、舞台版で歌うのは女性たちである。[12] プエルトリコの首都サン・フアンに帰りたいと言うアメリカにやってきたばかりのひとりの女性に対し、アニタ以下全員が、「アメリカにいるのが好き！／アメリカは何もかも自由！」「移民たちはアメリカに向かう／アメリカでは誰も知らない／プエルトリコがアメリカにあることを！」と歌いあげる。[13] 対する映画版では、アメリカを礼賛する女性たちに男性陣が逐一反論する。「アメリカでは何もかも素晴らしい！」と女たちが歌えば、男性たちが「白人にとってはな！」と半畳を入れ、「ここでは自由になれる、誇りをもてる！」と歌えば、「自分たちの領分に留まるかぎり！」と切り返す。理想と現実のギャップがあらわになり、アメリカ人なのに「アメリカの外国人」でしかないプエルトリコ移民の実体が透けて見えるナンバーだ。

ジェット団も自分たちの立場を知りつくしている。たとえば、コミカルな自嘲ソング〈クラプキ巡査への悪口〉で、「愛を受けずに育った自分たちは病んでいる！」「精神的に病んでいる」「社会的に病んでいる」と訴える。なぜって、「青少年犯罪は　純粋に社会病だから」「社会的に病んでいるやつなんて　誰も要らないから／なあ　クラプキ巡査さんよ／俺たちは　どうすりゃいいんだい？」。彼らは自分たちが「腐っている」ことを、腐ることを余儀なくされていることを知悉している。

このように、ここにある図式は、ジェット団＝差別者、シャーク団＝被差別者といった単純な話ではない。対立しながらも、彼らはともにこの社会で自分の居場所を見つけられない社会的犠牲者という点では同じなのだ。差別のヒエラルキーを糾弾するだけではまだ足りない。差別される側が、じつは差別する側と同じ思考回路に陥っていることがここでは問題である。曰く「被差別者が差別者に対抗するのに、その差別者を被差別者として蔑むという悪循環と行き詰まり[14]」。

宗教対立や世代間対立、あるいは白人と黒人の対立といった設定のほうが、よっぽど話としてはわかりやすいし、ドラマチックかもしれない。しかし、このミュージカルの狙いはおそらくそこにはない。人種・民族差別を超えて、行き場のない（一枚岩ではない）若者の生態を描いている点にこそ、その最大の魅力があるのではないだろうか。社会派ミュージカルといわれる所以だ。

3. 憎しみの行方

ところで、舞台版と映画版で、いくつかのナンバーの順番が微妙に異なるが[15]、もっとも大きく異なるのは〈クール〉と〈クラプキ巡査への悪口〉の入れ替えであろう。舞台版では、一幕に〈クール〉、二幕に〈クラプキ巡査〉があるのに対し、映画版ではそれを逆に入れ替えた。映画版では、トニーとマリアが歌う〈トゥナイト〉を挟んで、〈アメリカ〉と〈クラプキ巡査〉のシーンが続く。そのことによって、シャーク団とジェット団が抱えるそれぞれの問題が浮き彫りにされることはすでに指摘した。「殺人のあとでコミカルな歌（〈クラプキ〉）なんて不自然だ。緊張の場面に冷静を装う〈クール〉のほうがよく似合う」とはソンドハイムの言葉だ[16]。事実、首領のリフ亡きあと、仲間割れしかける連中に二番手格のアイスが諭す〈クール〉のナンバー（「クレィジー・ボーイ／クールにいけ」）は、ヒートアップする「アンクール uncool」な、若者たちを強調するうえで効果的なナンバーといえよう。

ロミオとジュリエット、いやトニーとマリアは、舞踏会ではなく体育館のダンスパーティで出会い、バルコニーではなく非常階段で愛を誓いあう。〈トゥナイト〉は、そんなふたりの恋心を歌ったナンバー。

今宵、今宵、
世界は光にあふれ
太陽も月も、いたるところに
今宵、今宵、
世界は自由気ままに光り輝き
くるおしく、空に閃光を放つ（…）
いつもと変わらないはずの世界が
輝いて見える

「恋する者に光はいらない」といった、原作のジュリエットの台詞を思い起こそう。原作にあった夜と昼、光と闇の対立がここにはない。夜も昼もない。あるのは、世界が時間を問わず光輝いているという感覚だ。恋は世界を一新する、世界を光ある世界に反転させる！　恋するふたりに「夜」はない以上、「夜」から逃げ出す必要もない。このシーンでは、非常階段の高低差を使ったうまい演出が見られる。トニーは、階上にいるマリアめがけて駆け上がり、マリアと同じ高さの目線で〈トゥナイト〉を歌う。そして愛を確認したあと、一挙に階段を下り、階下の人となる。ふたりの出会いと別れを凝縮した場面だ。マリアは別れ際にトニーの本名を尋ね、'Te adoro, Anton とスペイン語で囁く。トニーの死に及んで、マリアが Te adoro, Anton と呼びかけるのは、その意味で象徴的だ。マリアにとって、トニーは「アントン」だった。それは、原作と違って、マリアが最後に死を選ばないこととなにか関係があるだろうか。死んだのはトニーであって、アントンではない。シェイクスピアではどうでもいいとされた名前（「名前がなんだというの？　ロミオ、その名を捨てて」二―二）が、ここではふたりを結びつける。彼女は、トニーの命を奪った銃を手に訴える。「みんなが彼を殺したのよ／兄さんもリフも／銃ではなく――憎しみで」。

なぜマリアはトニーのあとを追わないのか。それは追う理由、死ぬ理由がないからだ。元来、彼ら自身に死ぬ理由はない。トニーは殺されたのであって、ロミオのように自殺したわけではない。彼らは決して「夜＝死」を志向しているわけではない。むしろ、「夜」を志向しているのはジェット団とシャーク団の面々であり、決闘も深夜、ハイウェイの下で行われる（原作は昼）。なるほど、トニーとマリアはジェット団とシャーク団の決闘を前に、「今宵、今宵は／ふつうの夜とは違う／今宵　明けの明星は輝かない」「月よ、明るく輝いてくれ／そしてこの終わりなき日を終わりなき夜に！」（〈クインテット〉）と重唱する。しかし、これは「夜よ、来い」という訴えではない。「終わりなき日 endless day」＝「終わりなき夜 endless night」、つまり、この世界が昼も夜もなく光輝いてほしいというメッセージであり、夜＝死の明確な拒否宣言だ。トニーの死によってその願いは断たれ、ふたたび「夜」がやってくる。しかし、マリアは「死」を選ばないだろう。彼女が死んでも、「夜」は続くだろうから。差別の連鎖が断ち切られることはないだろうから。

トニーとマリア、いやすくなくともマリアはそのことに気づいている。憎しみが憎しみしか生まないことを。ここニューヨークに「ふたりのための場所」はないことも。「新しい生き方 a new way of living」「相手を許す生き方 a way of forgiving」が見つかるのは「どこかほかの場所」（〈サムホエア〉）[17]でしかないだろう。

この結末は、「ふたりの死」という結末以上に、見るものに重くのしかかってくる。「終わり」が見えないからだ。『ウエスト・サイド・ストーリー』に The End はない。原作のカタルシスはない。その意味で、このミュージカルが従来のハッピーエンドを旨とするウェルメイドなミュージカルの枠を大きく逸脱していることはたしかであり、恋愛悲劇である『ロミオとジュリエット』を現代アメリカ版、いや現代移民社会の青春悲劇へと脱構築していることは疑い得ない。

そのような『ウエスト・サイド・ストーリー』の憎しみのテーマを引き継いだのが、フランス発ミュージカル『ロミオとジュリエット』である。

プレスギュルヴィック『ロミオとジュリエット——憎しみから愛へ Roméo & Juliette De la Haine à l'Amour』

1．概略

「スペクタクル・ミュジカル」と銘打たれた『ロミオとジュリエット——憎しみから愛へ』の作詞・作曲はユダヤ系フランス人ジェラール・プレスギュルヴィック。ほかの作品と違い[18]、ひとりの作者の手によるのが特徴だ。さらに、もう一本手がけた作品が『風と共に去りぬ』（二〇〇三年）であることからもわかるように、彼の眼が最初から英語圏、いや世界市場を目指している（だろう）ことはあきらかだ。二〇〇一年一月にパリのパレ・ド・コングレで初演され[19]、四ヶ月にわたって上演されたが、その後、スイス、ベルギー、イギリス、ロシア、ハンガリー、オーストリア、韓国等、一七ヶ国で上演され、二〇一〇年二月、パリで再演された。すでに観客の数は五〇〇万人に達したといわれ、CDやDVDの売りあげも七五〇万枚強とされる人気ミュージカルである。初演演出はアラブ系フランス人レダだが、二〇〇六年のアジア・ツアーの際、レダ自身によって手直しされたのを皮切りに、さまざまに改変され、最終的にプレスギュルヴィックが集大成化した（合議 Collégiale）とされる。再演の振付はカール・ポルタル。彼はもともと『ノートル＝ダム・ド・パリ』（一九九八年）や、『十戒』（二〇〇〇年）、『ロミジュリ』『風と共に去りぬ』等に出演したダンサーであった。

新しい楽曲が加わり、装置、衣装、キャスティングも大きく変わったことはいうまでもない。

2. 絶望が支配する世界

初演のなによりの話題は、ロミオ役一九歳、ジュリエット役一六歳と原作に近い年齢のキャストが組まれたこと。ふたりの生き急ぐ恋が若さの所産であることを思えば、このキャスティングは理にかなっているといえよう。驚くべきは、一〇年後の再演でロミオ役、ティボルト役は変わっていないことだ。当然のことながら、若さゆえの死への疾走といった面は後退したが、階段を多用し、斜線と高低差をより強調した装置の抽象化とともに、舞台全体が生き地獄の様相を呈していた。生き急ぐ＝死に急ぐ若者たち、いや若者にかぎらず、老若男女のいいしれぬ絶望。なにかに取り憑かれたようにいがみあい、憎みあう人々の狂気が全篇を覆い、人間の愚かさだけが際立つ。そのことは、初演では調停役であったヴェローナ大公が、権力に酔いしれ、権力の虜と化していることからもうかがえる。ティボルトとマキューシオの重要性が増し（持ち歌も増えた）、ジュリエットの母の孤独（ジュリエットは不倫の娘であることが告げられる）がより一層強調される。[20] こうして、初演版が、若い男女のラブストーリーを軸に、モンタギュー家とキャピュレット家の軋轢が前面に押し出された歌舞劇であったのに対し、再演版（副題「ヴェローナの子どもたち」）は、家同士の諍いという生き地獄に翻弄される若者たちの孤独、大人たちの絶望がより強調される作品になった。新曲〈祈る〉は文字通り再演版のメッセージそのものといえよう。「人生が地獄であるとき、人間が絶望しあうとき、もはや祈りしか残っていないとき、人は祈る」。注目すべきは、初演同様、不可視の「死」——演じるのは、ひと言ももの言わぬ白いドレスをまとった女性——が常に舞台に遍在し、すべてを見、すべてを統べていることだ。「死」がロミオを愛するがゆえに、ジュリエットへの嫉妬＝憎しみを生み、すべてを滅亡へと導いたとでもいうように物語は展開する。見えない「死」と見えない〈愛〉。フランス版は、先の見えない世界を前にした人間の根源的不安を浮き彫りにする。(21)

以下、初演版を細かく見ていくことにしよう。宝塚版上演の契機になったのはたしかに再演版だが、宝塚版の内容はむしろ初演版に近いからだ。

構成は、大きく二幕からなり、第一幕はモンタギュー家とキャピュレット家の〈憎しみ〉（両家の母親が冒頭で歌うナンバー）から始まり、舞踏会、バルコニーのシーンを経て、秘密裏の結婚まで。第二幕は、それを知った両家の若者たちがついに衝突し、マキューシオとティボルトが死に、追放を宣告されたロミオとジュリエットの朝の別れからふたりの死までが描かれる。

原作と大きく異なるのは、まずティボルトの扱いだ。彼は、ジュリエットの従兄弟でありながら彼女を秘かに愛しており、それがロミオへの敵愾心を煽り立てるという設定だ（宝塚版では、当然のことながら二番手男役がティボルトを演じている）。ティボルトは「俺は憎しみと蔑みの子」、ずっと裏切りの人生だったと嘆く。彼はいつも孤独だった。でも「俺のせいじゃない。俺には選択する余地はなかった。俺は彼らの暴力の子、でも彼女の誕生は誇りにしている」（〈俺の誤りではない〉）。それだけに、ロミオは許すことのできない恋敵！「人が死ぬのは名誉によってではなく、愛によってだ」

〈〈この日〉〉。彼もまた、家の犠牲者であり、ロミオとは違った意味で夜を恐れ、愛に飢えている。他方、ロミオの親友マキューシオも「俺は塵のなかで死んでいく。しかし俺は王のように死ぬ、俺は呪う、お前の家族を、お前の家を」（〈マキューシオの死〉）と訴える。俺たちは「世界の王」とうそぶいてみても、「この世の生は地獄でしかない」（ロミオの台詞）、これが彼らの共通した想いだろう。ふたりの結婚をみんなが知っていることも原作と大きく異なる。もともといがみあい、憎みあっている両家であれば、それは火に油を注ぐことにしかならないだろう。

さらに、フランス版ミュージカルにモンタギュー卿は登場しない。ロミオを取り巻くのは、マキューシオ、ベンヴォーリオといった同世代の男友だちであり、母との関係も稀薄だ（原作と違って、最後まで生きているが）。他方、ジュリエットの近くに同世代の娘は登場せず、母と乳母、それに父とティボルトが「箱入り娘」をしかとガードする格好になっている。とりわけ、キャピュレット夫妻の冷えた夫婦関係が前面に押し出され、恋愛と結婚のギャップが強調される。そんな両親への反発があれば、ジュリエットの恋心に火がつくことは不可避だろうが、興味深いのは、娘を想う父親の心境を語るバラードが一曲用意されていること。「娘をもつことは／罪を犯すこと／罪人が犠牲になることだ」（〈娘をもつこと〉）。このナンバーは、最後の〈罪人たち〉につながる伏線とみなされるが、この親子関係の非対称はなにを意味するのだろう。ともに夢見る少年・少女であるにせよ、ロミオが文字通り恋に恋する「少年」であるのに対し、ジュリエットのほうがより切実に両親との確執を生き、その絆＝軛《くびき》からの解放を願う「娘」であるということだろうか。

3. 答えのないドラマ

ほかのミュージカル作品と違い、ひとりの作者の手になる本作の最大の特徴は、「スペクタクル・ミュジカル」の特性（歌とダンスの分離＝競合）を十二分に活かしつつ、原作の核心である「生き急ぐ恋＝死に急ぐ恋」をヴィジュアル化すべく、「死」という役を登場させたことだろう。恋に恋するロミオは、じつは眼に見えぬ不安、「死」の前で恐れおののく青年にほかならない。

僕は怖い、僕は怖い
僕たちを待っている人生が
両親の嘘が
僕は怖い、とても怖い、僕は怖い……僕は怖い
僕たちを導く星々が
いつか僕らを無に至らしめることが（〈僕は怖い〉）

「死」に取り憑かれるとはこういうことかもしれない。「死」の不安から逃れられなければならないほど、「死」の誘惑もいや増す。むしろ、彼が「死」を呼びこんでいるといってもいいほどだ。では、いかにしてそこから逃れることができるのだろうか。逃れることは（おそらく）できない。できるとすれば、辛うじて愛がその程度を和らげることぐらいであろう。「愛することは、あまり

怖がらない pour avoir moins peur」（〈愛すること〉）からだ。Je meurs de peur（怖くて死にそうだ）から、「Je meurs d'amour（愛しくて死にそうだ）へ。不可視の「死」をヴィジュアルとして見せることによって、ロミオの内面のみならず、人々の見えない心、世界の見えない裏面が可視化される。ジュリエットの世話係で耳が聞こえず、手話でやりとりする女性 sourde の役の存在もまた、同様かもしれない。私たちの世界は、目に見える世界・耳に聞こえる世界だけで成り立っているわけではない。見えるものと見えないもの、聞こえるものと聞こえないものが二重三重に入り組み、互いに浸透し、錯綜しあっているのが、昼と夜、光と闇、ひいては生と死の実相であろう。「死」の現前、沈黙の遍在は、「生」の多重性・多層性の可視化にほかならない。

加えて、左右対照、高低差を意識した幾何学的装置の数々が、両家の対立関係、さらには、階上と階下、天と地、天国と地獄のメタファーとして説得的に機能していることも見逃せない。ジュリエットはいわば階上の住人であり、「より高く昇ること」を意味する愛の世界により近い立場にいる（「愛することは、より高く昇ること」）。ロミオは階下＝地上を彷徨い、バルコニーのシーンで一挙に階上に駆けあがろうとするが、そこに居続けることはできない。ふたりが結ばれるのは階上（のジュリエットの部屋）だが、彼は明け方、その部屋から立ち去らねばならない。かくして、最後のふたりの死が、階上でも階下でもなく、中二階といった高さに設定され、この世界で宙づりにされたような印象を与えるのは、ついにふたりが天上の人になれなかったことの隠喩だろうか。再演では現実に戻るかのように、皆の目の高さに墓石＝棺は安置される。

「この世の生は地獄でしかない」。ロミオとジュリエットの悲劇もさることながら、それ以上に、「世界の王」(「世界の王はしたいことはなんでもする」)になりきれなかった若者たちの無惨さ・無念さが全篇を覆う。それを決定づけるナンバーこそ、ロミオとジュリエットの死を前にしてロレンス神父が歌う〈もうわからない〉だ。「もうわからない、もうわからない/人間を信じているのか、もう信じていないのか/ああもうわからない、わたしはもう駄目だ」。神であるあなたにすべてを捧げてきたのに、あなたは人々が愛しあい、殺しあうことを望むのか。絶望しきった神父の歌は神への不信を決定的なものにする。残された「罪人たち」は、なにに救いを、許しを求めたらいいのか。救いはないことを受け入れよ、ということか。しかしここに決定的な答えはない。

「世界全体がわたしたちを罪人とみなすだろう」という悔恨と「愛することは、より高く昇ること」という希望がないまぜになりながら、出演者全員による合唱でフィナーレとなる。

4. 恋愛幻想

『ロミオとジュリエット』パリ再演(二〇一〇年)を受けて、ついに日本公演が実現した。『十戒』の日本公演(フランス語公演)とは違い、宝塚による翻案上演だ。潤色・演出は『エリザベート』の小池修一郎。小池は、黒い衣装に身を包んだ「死」以外に薄いベージュのドレスを身に纏った「愛」を登場させ、本作をエロスとタナトスのドラマに転換させた。「愛の衝動こそが生きることを求めるのだから、『死と愛』は『エロス・タナトス』=『生と死』と解釈して差し支えないものと思っている」[22]と小池は自解するが、ここではむしろ、「愛」は人と人を結びつける力、「死」はそれを引き裂く力のように作用する。

印象深いのは、フランス版と違い、リプライズされる〈僕は怖い〉だ。フランス版では、「仮面舞踏会」の前にこの歌が歌われるのみだが、宝塚版では、マーキューシオ、ティボルトが死んだあとに、再度この歌が歌われる。ますますロミオの恐怖はいや増すばかり。「死」に操られ、マーキューシオ、ティボルトの亡霊ふたりと踊るシーンのロミオはもはや「生ける屍」でしかない

「愛と死は、太陽と月のように、惹かれ合い、反発して、けっして混じりあうことはない[23]」というエピローグが示唆するように、「死」が、両家が憎しみあい、いがみあう場面に必ず登場するのに対し、「愛」はロミオとジュリエットが揃う場面にしか登場しない。両者がともに現れるのは、結婚式と、ふたりが自殺する場面のみだ。前者では、「死」はふたりの不吉な未来を暗示するかのように姿を現わし、後者では、引き裂いたはずのふたりが「愛」によってふたたび結びつくのを目のあたりにし、「死」が茫然自失するといった体《てい》だ。最終場面で「愛」と「死」は、一枚の額縁のなかに収まるように重なりあうが、このいかにも宝塚的なエンディングは、「死」によってはじめて「愛」が可能になる、いや「愛」のうちに「死」が包摂されることを意味しているように感じられる。棺のなかの「愛」と「死」と棺の外のロミオとジュリエット。「死」によって終わる「愛」と「死」を超える「愛」。曰く、「永遠の愛」という名の不死の生の勝利。不死の生はこの世では得られない。それは「死」によって、はじめて可能になるだろう。なんというロマンティスム！　小池は、その

ことを端的にこう述べている。「愛と死の相克の中でふたりは翻弄されるけれど、死に追いやられて物語が終わるわけではない。死によって愛を達成するのだと思うんです」[24]。

フロイトのいうエロスとタナトスの関係が、結局、タナトスに仕えるエロス、主（タナトス）従（エロス）関係に還元されるとすれば[25]、このエンディングは、その転倒といえる。愛＝生が死に仕えるのではなく、死が愛に仕えるということ。この恐るべき恋愛幻想（「死に至る病」礼賛）を、フロイトはどう解釈するだろうか。宝塚的エンディングと一笑に付すことは容易いが、本作、ひいてはあまたのラブ・ストーリーの変わらぬ人気がじつはその点にあるとすれば、恋愛幻想こそ、私たちがいまもっとも真摯に対峙しなければいけないテーマなのかもしれない。いや、それが現実にはなかなかありえない恋愛、恋愛不能といわれる時代だからこそ、『ロミオとジュリエット』はますます神話化され、伝説化されるのだろう。奇しくも、『ロミオとジュリエット』を三たび演出した蜷川幸雄もまた、この作品を「死と再生」のドラマとして捉え、「〝若さ〟が持っている死とうらはらの生の輝かしさ」、バタイユのいう「死に至る生の称揚」こそ、この作品の魅力ではないか、と語っているのは興味深い[26]。

5.「死」の現前

日本版（TBS／ホリプロ／梅田芸術劇場が共同企画・制作）は、城田優・山崎育三郎のダブルキャストで、二〇一一年に上演された（ジュリエット役も新人ふたりのダブルキャスト）。演出は小池修一郎。その後、二〇一三年に再演され、一七、一九年と新演出で再再演された。

キャピュレット卿夫人のナンバーは、フランス再演版の変更を踏襲し、歌詞内容もそれに添って変更されている。「愛のない生活に／悶える私の眼の前に／その男は現れた／私は初めて恋に落ちて／愛し合って／お前が生まれた」（〈涙の谷〉）。父親が歌う〈娘よ〉もフランス版と異なり、「お前が三つになった時気がついた／お前は私の血を引く／子どもではないことに／妻が私に復讐したのだと気づいた」と変えられた（ちなみに、宝塚版にその歌詞はない）。また、宝塚版ではマーキューシオ、ティボルトが死んだあとに〈僕は怖い〉がリプライズされるが、日本版では、冒頭にモンタギュー夫人とキャピュレット夫人によって歌われる〈憎しみ〉が繰り返され、最後に〈エメ〉で締めくくられる。憎しみから愛へ、というストレートなメッセージだ。さらに、バズ・ラーマン監督の映画『ロミオ＋ジュリエット』の影響だろうか、携帯電話やらPCやらが登場し、より現代風？　無国籍風？　な作品になっている。宝塚版との決定的な違いは、「死」が男性ダンサーひとりとなり、きわめて象徴的な動きをみせることだ。黒の帽子、黒のコートに身を包んだ「死」が至るところに現れ（というか遍在し）、マーキューシオとティボルトが亡くなったあとにロミオと踊るとき、はじめて顔を見せる。ロミオに同調し、絡みつくような踊り。もちろん、ひと言も口をきかない。そして、最終的に上半身裸のタイツ姿で十字架の上に現れる。ロミオとジュリエットふたりの死が殉死であるかのように。事実、引き離されようとしたふたりの遺体は、両家の人々によって、いま一度ふたり並んで安置される。「死」は、初演では、両手を横に大きく開き、十字架の形で宙吊りにされたが、最新版では、すでに置かれた十字架の上に「死」が覆い被さり、最後に上にあげた片手を強く振り下ろされ、うなだれて幕となる。

＊＊＊

夜の恋から光ある世界の恋へ。原作の光と闇、昼と夜の両義性は、『ウエスト・サイド・ストーリー』では光と闇の対立に置き換えられた。夜に生きるのは、トニーとマリア以外の若者たちであり、その意味で、ここ以外の「どこか」を目指すふたりと、行き場のないほかの人間という図式は明快だ。トニーの死は和解のための死ではなく、憎しみの結果としての死でしかない。他方、フランス版ミュージカル『ロミオとジュリエット』は、その対立をむしろ無化する。ロミオとジュリエットも含めて、「ヴェローナの子どもたち」全員が、夜＝この世の地獄を生きることを余儀なくされている。おそらく、この世の生き地獄を生きているのは若者たちだけではない、大人たちもまた同じだろう。「罪人たち」とは、この世で生きるすべての人間に当てはまるのだろうから。それを狭義のキリスト教的なメッセージとして捉えてはならない。ロレンス神父の「わたしはもうわからない」がそのことを端的に否定している以上――。かくして「罪人たち」の意味は重く深い。それは、世界であれ、死であれ、未来であれ、皆が皆（ロミオもティボルトも、「世界の王たち」も）一様になにかを「恐れている」ことと別のことではないだろう。フランス版『ロミオとジュリエット』は、こうして、先の見えない世界を前にした人間の根源的不安に帰着する。

とはいえ、結末の違い（ふたりの死で終わるパターンと両家の和解で終わるパターン）が、また別の解釈をわれわれに促すこともたしかだ。たとえば、バレエのマクミラン版はふたりの死で終わるが、バレエのルドルフ・ヌレエフ版やオペラのグノー版は両家の和解で終わる。逆にいえば、もともとのシェイクスピア作品も、ロミオとジュリエットの死を重視するか（エロス的愛）、両家の和解を重視するか（アガペー的愛）で、ずいぶん解釈も変わってくるということだ。すくなくとも、原作にはその萌芽がある。

『ウエスト・サイド・ストーリー』のジュリエット＝マリアは死なない。二つの不良グループが和解するかどうかはわからない。ただ、その兆しがあることは見てとれる。[27] そのように考えれば、『ウエスト・サイド・ストーリー』はアガペー的愛（両家の和解↓両グループの和解）へと大きく舵を切り、フランス版ミュージカルは、原作の「夜の恋・死への疾走」に原点回帰したということができるかもしれない。原作であるシェイクスピア版には死が充満し、つぎつぎと主要人物が死んでいくからだ。フランス版の死の支配をエロスとタナトスの関係に置き換えたのが宝塚版だ。さらに日本版はバズ・ラーマンの映画を意識しつつ、一層、「戦争の結果廃墟となった都市で起きる物語」（小池修一郎）へとシフトさせた。最近では、空中大陸ネオ・ヴェローナを舞台にしたアニメ作品（『ロミオ×ジュリエット』中部日本放送、二〇〇七年）さえ生まれている（＋ではなく×に注意！）。野田秀樹もまた、先ごろクイーン音楽をベースにその後のロミオとジュリエットを劇化した（『Q：A Night At The

Kabuki』、二〇一九年）。恐るべし！　ロミオとジュリエット。
「翻案」がなければ「原作」もない。翻案があってはじめて原作は生まれる。そのかぎりで、原作の読解可能性は無尽蔵だ。しかし、それを原作自体の豊かさと混同してはならない。原作の豊かさは、常に発見されなければならない。そして、それを可能にするものこそ、翻案にほかならない。

［注］

（1）フランス語で通常ミュージカルは comédie musicale というが、spectacle musical と銘打たれた作品が多い。アメリカ風ミュージカルとの差別化が図られていることはもちろんだが、ロイド・ウェバーの「ロック・オペラ」、クンツェ／リーヴァイの提唱する「ドラマ・ミュージカル」と微妙に重なる。またフランス・オペラの伝統であるグランドオペラ風のミュージカルということもできる。なお、フランス・ミュージカルの概要については、Jean-Francois Brien, *Les Comedies musicales de Starmania aux Dix Commandements*, Hors Collection, 2002. および拙著『フランス・ミュージカルへの招待』（春風社、二〇一二年）参照。

（2）*The Most Excellent and Lamentable Tragedie, of Romeo and Juliet*, U.K., 1599 and some stage directions from *An Excellent conceited Tragedie of Romeo and Juliet*, U.K., 1597. 翻訳の数は多いが、本章では河合祥一郎（角川文庫、二〇〇五年）訳を使用。台詞引用後の（　）内で幕数を記載。

（3）『ロミオとジュリエット』の原文および註に関しては、岩崎宗治編注『ロミオとジュリエット』（大修館書店、一九八八年）、大場建治編注訳『ロミオとジュリエット』（研究社、二〇〇七年）参照。なお、前者は参考文献が充実しており、三〇数冊にわたって本作に関する簡単な作品研究が紹介されている。

（4）注2、およびアーサー・ブルック著、北川悌二訳『ロウミアスとジューリエット』（北星堂書店、一九七九年）参照。

（5）冨原芳彰「『ロミオとジュリエット』の悲劇性」『イギリス・ルネサンス――詩と演劇詩と演劇　小津次郎教授還暦記念論集』紀伊國屋書店、一九八〇年、一二頁。

（6）この部分の直訳は「恋人たちはみずからの美を火と燃やして、みごと／愛の儀式を行うことができる、そう、キューピッドが盲目なのも／夜の闇にいちばんふさわしいから」（注3、大場訳）となる。

（7）河合祥一郎『『ロミオとジュリエット』恋に落ちる演劇術』みすず書房、二〇〇五年、一四七～一四八頁。

（8）ふたりがすれ違うという設定は、バンデッロ版がフランス語に翻訳されたときになされたようで、ダ・ポルトやバンデッロでは、死ぬ前にふたりは抱擁しあっている。このメロドラマ的な展開は、一八世紀以降も続き、グノーやベルリオーズ、最近では、バズ・ラーマンも採用しているが、むしろそちらのほうがもとに近いことになる。注7参照。

（9）マイケル・ボグダノフは、この場においてロミオは、ほかのシェイクスピア劇の主人公同様、実存主義的地点に到達し、理解したと指摘する。自分の運命は、ほかの誰かの手のなかにではなく、自分の手のなかにあるのだと（近藤弘幸訳『シェイクスピア　ディレクターズ・カット――演出家が斬る劇世界』研究社、二〇〇五年、七九頁)。
(10)Irene G. Dash, Ⅲ The Challenge of Tragedy, *Shakespeare and the Americain Musical*, Indiana University Press, 2010, p.78.
(11)同上、p.90.
(12)浅利慶太は、映画でベルナルドに〈アメリカ〉を踊らせたのは、この役を演じたジョージ・チャキリスの人気を高めはしたが、ロビンズを怒らせる結果となってしまい、映画への協力をやめてしまったと述べている(『浅利慶太の四季〈著述集1〉演劇の回復のために』(慶應義塾大学出版会、一九九九年、三三〇頁)。
(13)訳詞はCD『ウエストサイド・ストーリー WestSide Story』(SICC1194 STERO, 1957)のライナーノーツを使用。
(14)森祐希子『映画で読むシェイクスピア』紀伊國屋書店、一九九六年、三三頁。
(15)舞台版では、一幕はジェット団とシャーク団の決闘シーンで終わり、二幕はマリアの寝室から始まり、深夜のトニーの死で終わる。驚くなかれ、たった二日の出来事であり、描かれる時間は夕方から深夜に限定されている。ちなみに、舞台版については、Keith Garebian, *The Making of WSS*, ECW Press, 1995.、舞台版と映画版の異同については、注10のDash論文“Ⅲ The Challenge of Tragedy”参照。
(16)「メイキング・ドキュメンタリー」『ウエスト・サイド・ストーリー　コレクターズ・エディション』特典ディスク参照。
(17)舞台版ではトニーとマリアによってではなく、初演ではプエルトリコ系のコンスエロによって、のちにジェット団に入れてもらえない痩せぽっちの少女エニィボディズによって歌われるようになった。詳細は松崎博「色を纏ったミュージカル『ウエスト・サイド物語』」、細谷等・中尾信一・村上東編『アメリカ映画のイデオロギー——視覚と娯楽の政治学』(論創社、二〇一六年)参照。

(18) フランス・ミュージカルの本格的な隆盛は、『ノートル=ダム・ド・パリ』を嚆矢とする。その後、立て続けに新作が続くが、『太陽王』『モーツァルト』『1789』等をプロデュースしたアティヴ/コーエンコンビの作品は、複数の作詩・作曲家の手になるのが普通だ。作詞作曲をひとりで、というのはプレスギュルヴィックのみである。

(19) 上演に際し、ほぼ一年前からアルバムやCDが発売され、大々的なプロモーションが始まるのが通例だが、『ロミオとジュリエット』をプロデュースしたのはジェラール・ルヴァン(人気テレビ番組「スターアカデミー」の仕掛け人)であった。したがって、ある劇評家はいう。R et Jはもはやたんなる一スペクタクルではなく、マーケティング全体を視野に入れた一大キャンペーン(opération)である、と(Bernard Gray, La Comedie musicale made in France, Opérette, No118)。

(20) ハンガリー版(二〇〇六年)では、〈憎しみ〉が(結婚前の)一幕最後に置かれ、愛と憎しみのコントラストがより強調されるが、衝撃的なのは、最後のロミオの死が首吊り!? 自殺であり、ジュリエットも手首を切って死ぬこと。ちなみに、「死」は登場しない。レダ演出のウィーン版(二〇〇五年)にもジュリアノ・ペパリーニ演出のイタリア版(二〇一三年)にも「死」は登場しない。かつウィーン版では、バズ・ラーマン的な最後(ジュリエットが目を覚ますと同時にロミオが死んでいく)になっている。

(21) それは否応なしに、ウィーン発ミュージカルで宝塚・東宝でも上演されている『エリザベート』を彷彿させよう。エリザベートに恋した黄泉の帝王「トート」(死)がエリザベートの愛を得るために、ハプスブルク家の運命を左右する、いやハプスブルク家の没落はじつは彼の策略だったという物語を。

(22) 『ロミオとジュリエット』宝塚歌劇団　星組公演パンフレット(二〇一〇年)。

(23) フランス版オリジナルでは「すべての歴史＝物語は同じように始まる／月明かりの下、新しいものはなにもない」というプレスギュルヴィック自身のナレーションで始まるが、宝塚版は愛と死の物語に置き換えている。なお、フランス語版はすべて拙訳であり、宝塚版・日本版はパンフレットおよびDVDの訳を使用している。

(24) 『レプリーク Bis』Vol・19、HANKYU MOOK、二〇一〇年八月、九三頁。

(25) フロイト自身、すべての生命の目標は死であり、死と生の関係を主人／臣下の関係とみなしている。生はいわば「〝死〟に至る迂路」(小此木啓吾)であり、有機体はそれぞれの流儀にしたがって死ぬのを望んでおり、エロスという生命を守る番兵も、もとをただせば死に仕える衛兵なのだ、とフロイトはいう。

(26) 秋島百合子『蜷川幸雄とシェークスピア』角川書店、二〇一五年、一二頁。

(27) 本橋哲也は生き残ったマリアたちに、人種主義克服の道筋、かすかな希望を見てとる。「友愛」だけがいまだ差別がうずまく社会のなかで共有すべき現実の目標である、と(本橋哲也『深読みミュージカル――歌う家族、愛する身体』青土社、二〇一一年、一五五頁)。

■資料1　オリジナル・ブロードウェイ・キャスト版
『ウエスト・サイド・ストーリー』ナンバー(CD ライナーノーツ)

第1幕	
1	Overture　序曲　※作曲者自身は序曲を作曲しておらず、出版楽譜にも含まれない。
2	Prologue　プロローグ
3	Jet Song　ジェットソング（リフ+ジェット団）
4	Something's Coming　何か起こりそう（トニー）
5	The Dance at the Gym　体育館でのダンスパーティ 1）Blues　ブルース 2）Promenade　プロムナード 3）Mambo　マンボ 4）Cha-cha　チャチャ 5）Meeting Scene　出会いのシーン（マリア、トニー） 6）Jump　ジャンプ
6	Maria　マリア（トニー）
7	Tonight　トゥナイト、Balcony Scene とも（マリア、トニー）
8	America　アメリカ（アニタ、ロザリア、シャークス団の女たち）
9	Cool　クール（アイスとジェット）
10	One Hand, One Heart　ひとつの心（トニー、マリア）
11	Tonight（Quintet）　トゥナイト（リフとジェッツ、ベルナルドとシャークス、アニタ、トニー、マリア）
12	The Rumble　決闘

第２幕	
13	I Feel Pretty アイ・フィール・プリティ（マリア、女の子たち）
14	（Somewhere） ① Ballet Sequence バレエ（トニー、マリア） ② Transition to Scherzo スケルツォへの変容 ③ Scherzo スケルツォ ④ Somewhere どこかへ（ある女の子） ⑤ Procession and Nightmare 行列と悪夢（トニー、マリア、全員のコーラス）
15	Gee, Officer Krupke クラプキ巡査への悪口（アクション、スノーボーイ、ディーゼル、エイ - ラブ、ベイビー・ジョン、ジェット団）
16	A Boy Like That/I Have A Love あんな男に～私は愛している（アニタ、マリア）
17	Taunting Scene あざけりの場面
18	Finale フィナーレ（マリア、トニー）

■資料2　映画『ウエスト・サイド物語』ナンバー
　　　　オリジナルサウンドトラック(ライナーノーツ)

Ⅰ	1	Overture 序曲
	2	Prologue プロローグ
	3	Jet Song ジェットソング(リフ、ジェット団)
	4	Something's Coming 何か起こりそう(トニー)
	5	The Dance at the Gym 体育館でのダンスパーティ
	6	Maria マリア(トニー)
	7	America アメリカ(アニタ、ベルナルド、シャーク団)
	8	Tonight トゥナイト(トニー、マリア)
	9	Gee, Officer Krupke クラプキ巡査への悪口(リフ、ジェット団)
Ⅱ	10	I Feel Pretty アイ・フィール・プリティ(マリアほか)
	11	One Hand, One Heart ひとつの心(トニー、マリア)
	12	Quintet クインテット(トニー、マリア、アニタ、ジェット団、シャーク団)
	13	The Rumble 決闘
	14	Somewhere どこかで(トニー、マリア)
	15	Cool クール(アイス、ジェット団)
	16	A Boy Like That/I Have A Love あんな男に~私は愛している(アニタ/マリア、アニタ)
	17	Finale フィナーレ(マリア)

■資料3　プレスギュルヴィック『ロミオとジュリエット』ナンバー
（初演プログラム）

第1幕
Ouverture 序曲（プレスギュルヴィック）
Vérone ヴェローナ（大公）
La Haine 憎しみ（キャピュレット夫人、モンタギュー夫人）
Un jour ある日（ロミオ、ジュリエット）
La Demande en marriage 結婚の申し込み（パリス、キャピュレット卿）
Tu dois te marier 結婚しなければならない（キャピュレット夫人、乳母）
Les Rois du monde 世界の王（ロミオ、ベンヴォーリオ、マキューシオ）
J'ai peur 僕は怖い（+ 舞踏会 Le Bal 1）（ロミオ）
L'Amour heureux 幸せな恋（+舞踏会 Le Bal 2）（ロミオ、ジュリエット）
C'est pas ma faute 俺の誤りではない（ティボルト）
Le Poète 詩人（詩人、ジュリエット）
Le Balcon バルコニー（ロミオ、ジュリエット）
Par Amour 愛によって（ロレンス神父、ロミオ、ジュリエット）
Les Beaux, les laids 美しい者・醜い者（乳母、ベンヴォーリオ、マキューシオ）
Et voilà qu'elle aime 彼女は愛している（乳母）
Aimer 愛すること（ロミオ、ジュリエット）

第2幕
On dit dans la rue 通りの噂（マキューシオ、ベンヴォーリオ、ロミオ）
C'est le jour この日（ティボルト）
Le Duel 決闘（マキューシオ、ティボルト、ロミオ）
Mort de Mercutio マキューシオの死（マキューシオ、ロミオ）
La Vengeance 報復（キャピュレット卿、モンタギュー夫人、大公、ロミオほか）
Le Pouvoir 権力（大公）
Duo du désespoir 絶望の二重唱（乳母、ロレンス神父）
Le Chant de l'alouette ひばりの歌（ロミオ、ジュリエット）
Demain 明日（キャピュレット夫妻、ジュリエット、乳母）
Avoir une fille 娘をもつこと（キャピュレット卿）
Sans elle 彼女がいなければ（ロミオ、ジュリエット）

Le Poison 毒（ジュリエット）
Comment lui dire 彼になんと言おう（ベンヴォーリオ）
Mort de Romeo ロミオの死（ロミオ）
La Mort de Juliette ジュリエットの死（ジュリエット）
J'sais plus もうわからない（ロレンス神父）
Coupables 罪人たち（モンタギュー夫人、キャピュレット夫人ほか）

＊再演では、新しいナンバーとして、〈A la vie, à la mort 生に死に〉〈Tybalt ティボルト〉〈La Reine Mab (je rêve) マブの女王〉〈Les Poupées 人形〉（1幕）、〈La Folie 狂気〉〈On prie 祈る〉（2幕）が付け加えられた。ティボルトとマキューシオのナンバーおよびロミオとジュリエットのデュエットが増え、若者たちが親あるいは大人たちの犠牲になっているというテーマがより鮮明になった。

■資料4　宝塚歌劇星組『ロミオとジュリエット』ナンバー（初演プログラム）

第1幕	
序	序曲
1	諍い、ヴェローナ（ティボルト、ベンヴォーリオ、マーキューシオ、モンタギュー卿、キャピュレット卿、ヴェローナ大公）
2	憎しみ（モンタギュー夫人、キャピュレット夫人）
3	いつか（ロミオ、ジュリエット）
4	結婚の申し込み（キャピュレット卿、パリス）ティボルト（ティボルト）
5	結婚のすすめ（ジュリエット、モンタギュー夫人、乳母）結婚だけは（ジュリエット） 結婚のすすめ（リプライズ）
6	世界の王（ロミオ、ベンヴォーリオ、マーキューシオ）マブの女王（マーキューシオ） 僕は怖い（ロミオ）
7	いつか（ダンスバリエーション）天使の声が聞こえる（ロミオ、ジュリエット） 本当の俺じゃない（ティボルト）
8	バルコニー（愛の誓い）（ロミオ、ジュリエット）
9	愛の為に（ロミオ、ロレンス神父）
10	綺麗は汚い（ベンヴォーリオ、マーキューシオ、乳母＋合唱） あの子はあなたを愛している（乳母）
11	エメ（ロミオ、ジュリエット）

第2幕	
1	エメ~狂気の沙汰（合唱）
2	街に噂が（ロミオ、ベンヴォーリオ、マーキューシオ+合唱）
3	今日こそその日（ティボルト）
4	決闘（ロミオ、ティボルト、ベンヴォーリオ、マーキューシオ） マーキューシオの死（ロミオ、マーキューシオ） 代償（ロミオ、ベンヴォーリオ、モンタギュー卿、キャピュレット卿、モンタギュー夫人、キャピュレット夫人、ヴェローナ大公）
5	僕は怖い（リプライズ）
6	神はまだお見捨てにはならない（ロミオ、ロレンス神父、乳母）
7	ひばりの歌声（ロミオ、ジュリエット）
8	明日には式を（ジュリエット、キャピュレット卿、キャピュレット夫人、パリス） 娘よ（キャピュレット卿）
9	彼女無しの人生（ロミオ、ジュリエット、ロレンス神父）
10	狂気の沙汰（リプライズ~服毒）（ジュリエット、ベンヴォーリオ、モンタギュー卿、合唱）
11	どうやって伝えよう（ベンヴォーリオ） ロミオの嘆き（ロミオ）
12	ロミオの死（ロミオ） ジュリエットの死（ジュリエット） 何故（ロレンス神父、モンタギュー夫人、キャピュレット夫人、乳母） 罪びと（ロレンス神父、キャピュレット卿、モンタギュー夫人、キャピュレット夫人、ヴェローナ大公、乳母） エメ（リプライズ）

*日本版では一幕〈結婚のすすめ〉（ジュリエット、乳母）と〈結婚だけは〉（ジュリエット）の間にキャピュレット夫人の〈涙の谷〉が入っている。さらに二幕の〈僕は怖い〉（リプライズ）が〈憎しみ〉に変更されている。

第 2 章

マクベス

対西洋から超西洋へ

劇団☆新感線の『メタルマクベス』の面白さはどうだろう。その魅力はどこからくるのだろう。演出のいのうえひでのりは、制作記者会見のなかで蜷川幸雄演出の『NINAGAWAマクベス』に言及しているが、その蜷川が意識した（であろう）作品こそ、黒澤明監督作品『蜘蛛巣城』にほかならない。

マクベス翻案の白眉ともいうべき以上の三作品について、その翻案の跡をたどることが本章の目的である。なるほど、黒澤明の『蜘蛛巣城』は翻案ではなくシェイクスピア劇そのものであるという意見もあるし、台詞をほとんど変更していない『NINAGAWAマクベス』を翻案と呼んでいいのか、という見方もあろう。しかしここでは、古典作品をいかに現代に再生させるか、テーマであれ演出であれ、いかに戯曲／原作を脱構築＝換骨奪胎しているか、そのような広義の翻案によってなにが見えてくるのかという観点から、改変の跡を検討することにしたい。

シェイクスピア『マクベス』

[あらすじ]

ときは一一世紀スコットランド王ダンカンの時代。場所はスコットランドおよびイングランドである。舞台は五幕からなり、第一幕は魔女たちの予言（「グラームズの領主、コーダーの領主、やがて王」[1]一－三）から始まり、将軍マクベスのダンカン王殺害の企みが浮上する。第二幕ではマクベス以上に気性の激しいマクベス夫人とともにダンカン王殺害が敢行され、第三幕の、もうひとつの魔女たちの予言（将軍バンクォーに対する「王を生みはするが、ご自身は王にならぬ」（一－三）という予言）に囚われたマクベスによるバンクォー殺害へとつながる。と同時に、亡きバンクォーの亡霊に取り憑かれたマクベスの錯乱シーンが続く。第四幕は、マクベスに対する魔女たちの再度の予言（「マクダフに気をつけろ、女から生まれたものにマクベスは倒せぬ、バーナムの森が動かない限りマクベスは滅びない」（四－一））を聞いたマクベスが、貴族マクダフの妻と息子を殺害。イングランドにいたマクダフはそれを知り、マクベス征伐の意をかためる。第五幕は、医者と侍女が登場し、マクベス夫人は夢遊病患者のように手についた血を幻視し洗い落とそうとするが、ついに狂死する。その後、マクベスの有名な「トゥモロー・スピーチ」ののち、バーナムの森が動き、マクダフとの一騎打ちへと展開する。「女から生まれた奴に俺は殺せぬ」（五－七）と宣言するマクベスにマクダフはつぎのように切り返す。「おまえが仕える悪魔に教えてもらうんだな、マクダフは母の腹から月足らずで引きずり出されたと（帝王切開の意)」(五－七)。結果はいうまでもなくマクベスの死であり、ダンカンの息子マルカムが新たな王となることで大団円となる。

1．概略

シェイクスピアの『マクベスMacbeth』が執筆されたのは、魔女禁止法が改正された二年後の一六〇六年頃といわれる。ラファエル・ホリンシェッド(ホリンズヘッド)の『年代記The Chronicles of England, Scotland and Irelande』(一五七七年)が種本とされるが、その材源はおそらく第二版(一五八七年)だろうといわれる。主たる登場人物であるマクベスを暴君、バンクォーを善人として描いた以外は、ほぼ『年代記』通りである。ではなぜ、実際には平和な統治者であったマクベスを暴君として描いたのか。それは、スチュアート家の祖にしてジェームズ一世の祖先であるバンクォーをもちあげるため(実際にはマクベスとともに王ダンカンを殺害している)、なによりも時の国王ジェームズ一世におもねるためであった。ジェームズ一世は『魔女論』の著者でもある。

当時は現在と違って帝王切開は極めて稀であり(母体が死ぬ確率が圧倒的に高く、むしろ文字通り死んだ母体から赤子を引き摺り出すケースも多々あったようだ)、男子出産を優先し、母体の保護を軽視した方法であった。そして、当時民間医療や女性の出産援助に携わる者たちは「魔女」とみなされていた。

2.「魔女」たちの復讐

「綺麗は汚い、汚いは綺麗」に代表されるオクシモロンが散りばめられたこの作品の特徴は、まず魔女の世界、いや、妄想の囚人たちのドラマであるという点だろう。「二枚舌 equivocation」――両義的世界――に翻弄され、取りこまれるドラマといっていい。魔女たちは両性具有で、三人で一組の、時間を超越した「超自然」の存在であり、なによりも「二枚舌」の語り手にほかならない。そこは、男と女、生と死、善と悪といったあらゆる二項対立が崩れ、現実と幻想の境界が無化され融合する無意識的領野。『マクベス』の悲劇は、直線的・単線的時間を生きるマクベスが、過去・現在・未来という時間を超越した、いわば円環的・循環的時間を生きる「無意識界の住人」である魔女たちの世界に絡め取られていく悲劇といえるかもしれない。

ついで特徴的なのは、女たち、夫人たちに名がなく、とりわけマクベスとマクベス夫人が「一卵性夫婦」（松岡和子）とみなされるということだ。事実、彼らは常にＷｅで話す。とはいえ、彼らが見ているものは微妙に、いや、決定的に異なる。マクベスはあくまで王位継承・家父長制度の創始を夢見ている。それゆえ、王殺害後、子どものいないマクベスは、最初の予言（「バンクォーの息子フリーアンスが王としてマクベスの跡を継ぐだろう」）に囚われ、バンクォーの息子を殺そうとし、さらにはマクダフの息子まで殺してしまう。マクベス夫人に「男だけ産むがいい」と言うが、夫人は「私を女でなくしてくれ！」と言い、乳を吸う子どもがどんなに可愛いか知っているが、（王殺害をやると決めたなら）「柔らかい歯茎から乳首をもぎとり、その脳みそを叩き出してみせます」（一－七）と宣言する。ここには王位獲得の意志以上に、あきらかに「子を産み育てる性」(本橋哲也)への拒否が垣間見える(史実では一度男の子を生んでいることになっている)。男を産み育てる前に、男であらんとする。なぜ自分は男ではないのか、なぜへたをすれば殺されてしまう(死んでしまう)女でしかないのか。いやそれ以上に、なぜ自分は女なのか。「子を孕む性」であるのか。そのかぎりで、『マクベス』の「魔女」たち(マクベス夫人も含まれる)の仕事は、権力闘争に明け暮れる男たちへの復讐といえるかもしれない。血を絶やさぬことが問題なのではなく、血を断ち、男たちの野望を根絶やしにすること。そのような無意識的欲望が透けて見える。すくなくとも、マクベスの悲劇・魔女の追放以上に、「子を孕む性」「子を産み育てる性」である女性性＝母性イデオロギーが前景化していることは否めない。

いずれにせよ、ここでも秀逸なのはシェイクスピアのオリジナル部分だ。

オリジナルといわれるのは、門番(二―三)、バンクォーの亡霊(三―四)、マクベス夫人の夢遊病(五―一)、トゥモロー・スピーチ(五―五)の四つである。全体のテーマとして、「地獄落ち」「二枚舌」「実行と非実行」(2)といったキーワードがあげられようが、「門番」は血なまぐさい惨劇のなかで息抜き的に登場する「道化の門番」であり、かつ「地獄の門番」として「二枚舌野郎」を攻撃することを忘れてはいない。他方、「バンクォーの亡霊」と「マクベス夫人の夢遊病」は、マクベスとマクベス夫人の錯乱を時間差でビジュアル化するものだ。マクベスの錯乱は彼の気性から容易に想像されるが、マクベス夫人のそれは意想外といえるかもしれない。マクベスに野心はあっても邪心がないと言い放ち、亡霊に苛まれるマクベスを「あなた、それでも男なの」と突き放すのがマクベス夫人だからだ。それだけに彼女の発狂は衝撃的である。女性性を否定したはずの彼女が、まさにそのほかならぬ女性性——男になりきれなかったこと——に復讐される最期だからだ。かくして、「バンクォーの亡霊」と「マクベス夫人の夢遊病」は、マクベス夫妻がともに血の妄想に取り憑かれ、現実と幻想の境界が侵犯される場面として有効であり、改めてふたりが「一卵性夫婦」であることを示唆する。最後の「トゥモロー・スピーチ」——「人生は歩く影（法師）。哀れな役者だ」（五－五）——は、シェイクスピアの「人生＝芝居」「世界劇場論」を示すものとして、あまりに有名だ。この台詞が、バンクォーの亡霊が現れた際の、「女の赤ん坊とでも呼ぶがいい。失せろ、人を脅かす影法師、ありもしない幻」（三－四）と対応していることはいうまでもない。影法師に怯えるマクベスが、最終的に影法師そのものとなっていく伏線である。

黒澤明『蜘蛛巣城』

1．概略

『蜘蛛巣城』は、脚本・小国英雄、橋本忍、菊島隆三、黒澤明、撮影・中井朝一、美術・村木与四郎、音楽・佐藤勝、演出・黒澤明（一九一〇～九八年）による一九五七年度東宝作品。

黒澤明は溝口健二、小津安二郎、成瀬巳喜男等と並ぶ日本を代表する映画監督、脚本家であり、

『姿三四郎』から『まあだだよ』まで三〇本の作品を残した。『酔いどれ天使』『生きる』『七人の侍』といった代表作のほかに、『羅生門』『白痴』『天国と地獄』『乱』といった翻案作品も多い。アート＝エンターテインメントの理想を追い求めた映画監督である。

『蜘蛛巣城』も、クレジットにシェイクスピアの名はないが、黒澤自身も認めているように、『マクベス』から想を得ている。ジャンルの違いもさることながら、原作との異同が問題になるが、ここではなぜそのような改作＝翻案がなされたのかを知ることが重要だろう。なぜなら、そこにこそ、黒澤作品の魅力とその意義が隠されているからだ。(3)

2.「母性」の前景化

一一世紀スコットランド王ダンカンの時代の物語は、戦国時代（下克上の時代）に移し替えられ、舞台もスコットランドおよびイングランドではなく、日本に置き換えられた。主たる登場人物も、マクベス＝鷲津武時（三船敏郎）、マクベス夫人＝浅茅（山田五十鈴）、バンクォー＝三木義明（千秋実）と名を変えられたが、台詞はほとんどオリジナルといっていい。

すでに多くの論者が指摘しているように、(4)『マクベス』との相違点は、マクベスを最終的に殺すことになるマクダフ＝小田倉則保（志村喬）の役割がさほど大きくなく、したがって、彼の家族（夫人と子ども）を殺害する場面もないこと。ついで、バンクォー＝三木の幽霊が出現するのは同じだが、『マクベス』と違って、殺害の報告後ではなく、報告以前であること。さらに、『マクベス』では狂ったマクベス夫人が夜な夜な夢遊病患者のように徘徊するシーンが有名だが、映画では鷲津が浅茅の狂気に直に立ちあい、最後の結末につながる契機になること。「……とれやしない……いやな血だね……いくら洗っても、なぜ、消えないのかね……まだ、血の臭いがする……どうしてきれいにならないのかねえ、この手は……」という浅茅の台詞は、あきらかにマクベス夫人のそれ（「まだここに血の臭いが。アラビア中の香水をかけてもこの小さな手を甘い香りにできやしない。／手を洗って／さあ、さあ、さあ、さあ、お手を」（五－一））を想起させよう。そして最後に、鷲津は敵であるマクダフ＝小田倉ではなく、自分の家来に殺害されること。

要するに『蜘蛛巣城』は、マクベスと彼を取り巻く男たちの王位をめぐる権力闘争以上に、マクベスとマクベス夫人、すなわち鷲津と浅茅のふたりの夫婦関係に絞られ、映像もふたりの立ち居振る舞いに特化して描かれる。

そんな『マクベス』と『蜘蛛巣城』の最大の相違は、浅茅が懐妊し、流産するという事実だ。「シェイクスピアの主要な状況設定に対する黒澤のすばらしい貢献は、まず子のない浅茅を妊娠させ、それから鷲津が殺害した城主の位を引き継いで殺人また殺人を重ねるとすぐ、彼女が我慢している恐怖の直接の結果として、浅茅が流産するようにしたことである(5)」。

『マクベス』では、子どもにこだわり、子どもの存在に恐怖しているのは、マクベス夫人ではなく、マクベスその人だ。前述した通り、彼女はむしろ「乳を吸う赤ん坊がどんなにかわいいか知っています。／その子が私の顔ににこにこ笑いかけているときに、／柔らかい歯茎から乳首をもぎとり、その脳みそを叩き出してみせます」と言い放つ。他方マクベスは、バンクォーの息子フリーアンスの殺害に失敗するや、マクダフの妻子を殺害する。そして最終的に、魔女たちの三つの予言、すなわち子どもに対する三つの恐怖――「世継ぎである子どもを持っているマクダフへの恐怖、母親が自分で産まなかった子どもに対する恐怖、子どもを育むような森の繁殖力への恐怖(6)」――によって自滅する。マクベス夫人がこだわっているのはあくまで王位獲得であり、マクベスのような王位継承＝家父長制ではない。その意味で、『蜘蛛巣城』ではマクベスと夫人との関係が逆転しているといっていい。そのことはなにを意味するのだろう?

『マクベス』では、ふたりの刺客にバンクォー殺しを指示するのはマクベスであり、夫人はなぜかしらその企てから外される。他方、『蜘蛛巣城』において、王殺しを主導し、かつ三木の息子殺しを示唆するのは浅茅だ（「わたくしは三木殿のお子様のためにこの手を血で汚したわけではありません」）。浅茅の懐妊が三木親子殺しに大きく作用していることはあきらかである。なによりも彼女には名前がある。マクベスの影でしかないマクベス夫人とはそこが決定的に異なる。

しかし、『マクベス』が「子どもにこだわり続ける劇」（本橋哲也）であるかぎり、その最大の担い手「産み育てる性」である浅茅の流産＝発狂が、浅茅の存在理由はもちろんのこと、王位獲得以後の鷲津の存在理由そのものをも奪うことになるのは不可避だろう。三木の子殺しに失敗し、みずからの子を流産＝殺してしまうとき、彼女が生きる理由はもはやない。いわんや鷲津においてをや、だ。彼はそもそも王位継承にこだわってはいない。いまや鷲津を支えるのは、「森が動かぬかぎり安泰」という予言だけであり、それ以上でも以下でもない。したがって、「蜘蛛手の森」が動きはじめるや自滅するのはしごく当然であろう。ここでいう「蜘蛛手の森」とは、迷路のようになっている森のことであり、「蜘蛛の巣のように攻めてくる者を捕えてしまう森(7)」を意味する。

鷲津を支配するのは浅茅の執心と物の怪の予言だ。そのふたつが潰えるとき、それまで映画を支配していた水平の構図は消え、垂直の構図が出現する。追いつめられた鷲津が城の高台から階下の部下たちに演説し、裏切られるシーンだ。彼は室内から室外へ、一対一の関係から一対他の関係に移行する。彼以外はすべて敵と化し、もはや味方は（当然身内も）誰ひとりとしていない。まるで裸の王様のように高台に取り残される。あとは無惨に落ちるしかない。その意味で、鷲津が矢によって殺害される最後のシーンは、映像的衝撃もさることながら、馬を走らせ弓矢を射ってきた、つまり、水平の移動を生きてきた鷲津が、垂直の構図に耐え得ないことを語ってあまりある。矢継ぎ早に飛んでくる矢を前にして、彼は逃げまどうことしかできない。矢は鷲津の首を一直線に射抜く。蜘蛛手の森に守られるはずが、結局、蜘蛛巣城に閉じこめられ、絡めとられてしまうかのように。このラストシーンは、居場所を失った鷲津の最期を象徴的に表象しているといえよう。思えば黒澤は、「『マクベス』という芝居は、その器でない人がその位置についた悲劇だと思う。マクベス夫人もそう。どこか人間として弱いところがあるとしかみえない(8)」とコメントしていた。

王殺しから子殺しへ。『マクベス』を貫くのは血統をめぐる争いだが、王位継承者の存在をめぐって、逆に「母性」（「子どもを産み育てる性」）のテーマ系が前景化する。マクベスの悲劇は、（夫人から

「母親離れ」したものの）「父」になり得ぬ「子」の悲劇ということができようが、[9] 鷲津の悲劇は、むしろ「母」から自立し得ない「子」の悲劇といえるかもしれない。蜘蛛手の森の物の怪の予言は鷲津を蜘蛛巣のように絡めとり、その予言はもうひとりの「物の怪」浅茅を介して、より一層彼を呪縛する。森であれ城であれ、蜘蛛巣の住人であるということは、その迷宮から抜け出せないことを意味するが、蜘蛛手の森＝蜘蛛巣城は鷲津にとって「母性」そのものといえよう。

3.『マクベス』の日本化

ところで、この映画の特徴のひとつとして、三人の魔女は登場せず、物の怪の老婆（浪花千恵子）が登場するのみである。これは能の『黒塚』に依拠しているといわれるが、この映画全体が能・狂言を意識した演出になっていることは間違いない。黒澤自身、「修羅道に落ちた人間の苦悩を表現する点では、能が一番じゃないかな」[10] と言い、能の影響を強調するが、狂言師野村萬斎は、マクベス夫妻、いや、鷲津夫妻を狂言と能の表裏一体性として捉えている。「山田五十鈴さんの落ち着いたたたずまいというのが非常に能的なのに対して、非常におどおどしているような、能と狂言の関係でいうと狂言的なのが三船さんという配置で、どちらかというと道化的な形でマクベスがいい」ると。[11] たしかに、幾度となくアップで映される浅茅の表情は能面のそれといってよく、それが無表情に近いだけに、より一層恐怖をもたらすものになっている。表層の美学の面目躍如といったところか。黒澤は、三船や山田に、とある能面（武人の面「平太」や狂乱状態になる直前の女の面である「曲見」、さらには狂乱状態になると目が金色になる「泥眼」等々[12]を指し示し、それを真似るよう指示したという。ちなみに、三木の亡霊は「中将」という貴族の亡霊の面、物の怪は「山姥」からイメージしたという。「能には、まず面があり、それをじっと見ていて、そこからその人間になっていくのです。演技にも型があって、その型を忠実にやっているうちに何ものかがのり移ってくるわけです[13]」。ここには、内面＝心理の外面化を企図する西洋演劇と、外面の内面化、いや「かたち即こころ」といっていい日本の伝統芸能との差異がはっきりと見てとれるが、とはいえ、なぜ能なのか。黒澤は、「私が能にひかれたのは、その独自性に驚嘆したからだが、それがあまりにも、映画とはかけ離れた表現形式だったから、かもしれない[14]」と述べている。

『マクベス』の日本的改変というモチーフ以上に、ここには、映画の可能性に賭ける黒澤の自恃があったのではなかったか[15]。「伝統的な能からの要素と、アメリカの西部劇映画の要素と、古典的な日本の絵巻物の要素をくみあわせている[16]」この時代劇映画は実は、静止と運動、静と動が交替する対照的なダイナミズムではなく、静止がそのまま運動であり、静がそのまま動であるような能的ダイナミズムを実現するという映画的実験の試みだった。従来の演出とは打って変わって、クローズ・アップをほとんど使用せず、ロングのフル・ショットで人物の位置を厳密に指定しながら撮影したことは、そのなによりもの証左だろう。「全編を通じて能の形式を生かすために、うんと劇的に盛りあがるところでも、役者のアップの表情をあまりみせないようにして、なるべくロングのフル・ショットで見せるようにした。だいたい能は全身の動作でもって感情を表すもの[17]」だから。『姿三四郎』から『生きものの記録』に至る、それまでの黒澤の映画は、総じて、対比・対照的な二項――動と静、善と悪、強と弱、光と影、明と暗等々――のせめぎあいを旨とし、テーマであれ音楽であれ映像であれ、はたまた演出であれ、メリハリある画面作りが真骨頂であった。ともあれ『蜘蛛巣城』の映画的実験が可能になったのも、『マクベス』を日本風に咀嚼するというよりは、『マクベス』そのものの咀嚼があればこそであろう。マンヴェルの言う「『蜘蛛巣城』は、『マクベス』のテーマの変形であり蒸留であって、脚色ではない」[18]とはその謂いであろう。黒澤は『マクベス』に日本的脚色をほどこしたのではない。『マクベス』そのものの日本(語)化、映画化を図ったのだ。それは単なる原作／脚色の関係ではない。西洋対日本という図式は黒澤にはなかった、すくなくともこの時点では。[19]彼にとって西洋はあくまで教養の一部であり、対決する対象ではなかったということだ。

西洋対日本という図式は、つぎの蜷川幸雄演出に受け継がれる。

蜷川幸雄『NINAGAWA マクベス』／『マクベス』

1. 概略

『NINAGAWA マクベス』は、装置・妹尾河童、照明・吉井澄雄、振付・花柳錦之輔、アートディレクター・辻村ジュサブロー、演出・蜷川幸雄(一九三五〜二〇一六年)による東宝プロデュース作品であり、初演時の主演は平幹二朗、栗原小巻ほか。俳優からそのキャリアを出発した蜷川幸雄は小劇場演出を経て、一九七四年、商業演劇に進出。以後、シェイクスピア作品、ギリシャ神話、秋元松代等の作品を演出し続けた。『NINAGAWAマクベス』は、八〇年二月日生劇場で初演され、八五年に再演されたが、それ以上に注目すべきは、以降、八五年にアムステルダムとエディンバラ、八七年にはロンドン、九〇年にはオタワとニューヨーク、九二年にはシンガポールと、つぎつぎに海外で上演され好評を博したことだ。扇田昭彦曰く、「蜷川はシェイクスピアを日本的感覚で『現地化』することによって舞台の『国際化』に成功した[20]」。

2. 『NINAGAWAマクベス』

なるほど、時代は戦国（安土桃山）時代に移し

『NINAGAWAマクベス』初演プログラム。マクベス役の平幹二朗とマクベス夫人役の栗原小巻。写真提供：東宝演劇部

替えられ、語彙レベルでも、大ネプチューンは龍神、ご婦人は女生、お妃様は奥方様、ミイラは骸、首絞めの台は首切りのむしろ、軍人は武士、神父は僧侶等々、一部変更がみられる。しかし、人物名や台詞（小田島雄志訳）はほぼ変わらない。その点が黒澤とは決定的に違う。蜷川の戦略は、『マクベス』を翻案することではなく、マクベスの舞台演出の可能性を探ること。彼の根本姿勢は戯曲（台本）遵守であり、台詞を変えたり改変することは（原則として）あり得ない。戯曲をいかに演出するか、いかにビジュアル化するかという点に彼の全精力は傾注される。目に見えるものと、耳から聞こえてくる台詞は等価である、いや、等価でなければならないという強い想いがあるからだ。「基本的には第二芸能だからね、演出家なんて。もとの本がなきゃできないからさ。いつも他人の言葉で自分の人生を語らなければならないわけでしょう。だから、シェイクスピアに負けたくない、なんとしても彼の世界を自分の世界に塗りこめたいと思っているわけよ。これは芸能人の屈辱と誇りだよ」[21]。そのことはたとえば、同じ「新劇人」でありながら、演出家であることの「屈辱と誇り」を共有しつつ、原作を忠実に再現しようとする浅利慶太と、あくまで原作と拮抗する舞台演出を目指す蜷川幸雄との、（おそらく）半永久的に埋まりそうもない距離といえよう。

第二芸能であるからこそ、そこには自己史が重ねられる（「シェイクスピアをサカナに自己史しか語らないこの残酷な喜び！」[22]と彼は言う）。蜷川が『NINAGAWAマクベス』に、一九六〇年代後半以降ますます加速度的に過激化していく政治・社会状況と、仲間等と劇結社「櫻社」（一九七二年）を立ちあげ、そして分裂・解体（一九七四年）していったみずからの私的状況を重ねていることはたしかだ。「新左翼の連合赤軍のような戦闘的革命集団が、なぜ内部リンチのような陰惨な物語に入っていったのか、そういう自分の中で整理できていないわだかまりを、マクベスに重ねていました[23]」。

明日、また明日、また明日と、時は
小きざみな足どりで一日一日を歩み、
ついには歴史の最後の一瞬にたどりつく、
昨日という日はすべて愚かな人間が塵と化す
死への道を照らしてきた。消えろ、消えろ、
つかの間の燈火！　人生は歩きまわる影法師、
あわれな役者だ、舞台の上でおおげさにみえをきっても
出場が終われば消えてしまう。白痴のしゃべる
物語だ、わめき立てる響きと怒りはすさまじいが、
意味はなに一つありはしない[24]。

蜷川が心打たれたこの一〇行の台詞（いわゆる「トゥモロー・スピーチ」）から導き出されるものはなんなのか。彼はマクベスを「自己認識の果てに、深いところまで到達した偉大な死者[25]」、偉大な死の認識者であるという。しかし、それはいかなる演出によって可能になるのだろうか。

この作品の最大の特徴は、舞台全体が仏壇と化し、仏壇のなかですべてが進行するという点だ。『マクベス』自体、死者たち＝亡霊たちのドラマとみなし得るとはどういうことなのか。蜷川は、「『マクベス』の中で野望に燃え、死んでいった武将たちは、僕らの祖先かもしれない。仏壇の中で演じるようにすれば、日本の観客も自分の心の中の物語として捉えてくれると思った。仏壇の扉の網のような隙間から内側が透けて見えることにも気付き、ここに満開の桜を置いたらと考えた(26)」とコメントする。仏壇と満開の桜、『NINAGAWAマクベス』を特徴づけるのはとりわけそのふたつだが、梶井基次郎の「桜の樹の下には屍体が埋まっている！」を引きあいに出すまでもなく、桜＝櫻社は死者のイメージと深く結びつく。加えて劇中の音楽が、フォーレの「レクイエム」（さらに、ブラームスの「弦楽六重奏曲」、バーバーの「弦楽のためのアダージョ」、そして声明）となれば、劇場全体が、志半ばで倒れていった死者たちの荒ぶる魂を鎮める場へと収斂していくことは不可避だろう。

冒頭、ふたりの老婆が観客席から登場し、仏壇の扉を開けたあとも、上演中ずっと仏壇の前に座り続け、幕切れに扉を閉める。ふたりはそこで食事し、寝て、日常の生活を送る。なぜ老婆なのかといえば、「あの老婆たちは歴史的な時間の堆積を現していて、その視点から裁かれたときに、『小さなラディカリズムなんてゴミみたいだ』と言われたかった。自己処罰したかったんだろうなと思います(27)」。「歴史的な時間」が堆積している「大衆の原像」に呪縛された「知識人」蜷川の内的葛藤が忖度されるが、ここで重要なのは、彼が劇的リアリティーをどこに求めていたかということだ。私たちが問題にしたいのは、蜷川の自己史の反映としての『マクベス』ではなく、『NINAGAWA

マクベス』と銘打たれた舞台そのものであるからだ。蜷川は問う、「日常生活にぼくの舞台はよく拮抗しうるか」[28]、シェイクスピアの両義的文体と老婆の登場は、果たして拮抗し得るのかどうか、と。要するに、観念的自己満足に陥ることなく、日常に拮抗し得る舞台になり得ているのかどうか、という問いだ。それは「自分自身に人々の千の目が宿っている」と思いこむこと、つまり、作品にとっても観客にとっても説得力のあるものを追求することとおそらく別のことではないだろう。そこから、日常と非日常、現実と虚構、さらには日本と西洋といった問題まではほんの数歩だが、その原点として、なによりも戯曲と演出、文学と演劇の等価＝拮抗関係が求められていることはいうまでもない。一見、戯曲への従属に見え、実は両者の不可分離性――なにをどう見せるか＝魅せるか――を浮き彫りにしている点こそ、演出家蜷川幸雄の最大の魅力といっていい。

3.『NINAGAWAマクベス』VS『マクベス』

蜷川は青年期にもっとも精神的影響を受けた人物のひとりとして、黒澤明の名をあげている。隅々にまで至る絶妙のキャスティングや音楽の使い方を学んだ、「芝居のリズムでいうと、僕もやはり黒澤さんみたいにピアニッシモが少なくて、フォルテ、フォルテでガンガン」[29]だ、と。『NINAGAWAマクベス』を構想するとき、あきらかに彼の脳裏には『蜘蛛巣城』があったはずだ。黒澤的様式に拮抗し得る蜷川的様式を構築しなければいけない。もともと「視覚の快楽と過剰な趣向を重視する歌舞伎型」（扇田昭彦）の演出家であるとはいえ、蜷川が、能ではなく歌舞伎を演出のベースにしたことは容易に見てとれよう。[30] 印象的なのは、マクベスの最後の死に姿だ。マクダフに斬られたマクベスは、母の胎内へ回帰するかのように、軀を丸めて死んでいく。「マクベス、はじめて安らぎを得たかのようにゆっくりと胎児に！　ぼくの基本的パターン」[31] と蜷川は自注する。直接的には、二度目の魔女の予言の場面で、第二の幻影が「血まみれの子供」（四－一）ではなく「胎児」になっていることに対応しているのだろうが（幻影二の予言「女の腹から生まれた者にマクベスは倒せぬ」に対し、女の腹から生まれたマクベスは死ぬしかない、女の腹に戻るしかないという応答）、そこに黒澤へのオマージュ（「母から自立し得なかった子」）を見ることはできないだろうか。

蜷川もまた、黒澤同様、ヨーロッパ的教養から出発する。しかし、西洋との距離が文字通り物理的に遠かったがために彼我の距離を問題にする必要のなかった黒澤の世代と、彼我の距離が相対的に縮まり、西洋との本質的距離を問題にせざるを得なくなった蜷川の世代とでは、西洋との関係も変容する。映画と演劇というジャンルの違いもあろう。演出家であると同時に脚本家でもあった黒澤と、あくまで演出家であり続ける蜷川という相違もある。しかし、ともに普遍性を目指し、かつ「日本」を方法化している点は変わらない。たとえそれが、西洋と日本の単純な足し算ではなく、両者の異種混淆的な掛けあわせ、デフォルメされたかけ算であったとしても。[32] だがそうであるかぎり、彼らの監督・演出作品に「日本的脚色」「エキゾチックな身振り」といったレッテルはどこまでもついて回るだろう。そして、それが「世界のクロサワ」「世界のニナガワ」として国際化していく過程と軌を一にしていることはいうまでもない。ともあれ、聖俗、いや、清濁あわせもつシェイクスピアの戯曲――「シェイクスピアは、猥雑な民衆劇」「落ちているゴミから美しい花まで、卑俗なものから聖なる観念までも含めたすべてをつかみたい(33)」――に拮抗し得る、聖俗いや清濁あわせもつ、大胆かつケレン味タップリの演出を提示すること。以下は蜷川の言葉である。

ぼくは自分が読んで感動したヨーロッパの戯曲を、日本の観客にみてもらうために出した。演劇というのは、観客の記憶を組織するのだ、とぼくは考えているので、ヴィジュアルなものは、ほとんど日本に置き換えている。もちろん、戯曲はほぼ原本の通りである。戯曲という文学を、ぼくらの現在の力量で演劇にしなおすのが、ぼくの仕事だ。そして、その演劇が日本を越えて、ヨーロッパの人びとの心をうつことができるのだとしたら、ヨーロッパから文学という種子となって日本に飛んできたすぐれた戯曲は、日本で演劇という花を咲かせてそれぞれの故郷に帰ったのだ。このとき、ぼくらの現在は、ある普遍性をもちえたのだ(34)。

興味深いのは、『NINAGAWAマクベス』初演から二〇年後の二〇〇一年、新演出の『マクベス』(彩の国さいたま芸術劇場およびBunkamuraシアターコクーン)を上演していることだ。総監督・諸井誠、装置・中越司、照明・原田保、主演は唐沢寿明と大竹しのぶほか。人物名、台詞は変わらない(ただし、松岡和子訳)が、スタッフ・キャスト は大きく変わり、舞台も日本からアジアへとシフトし、時代もベトナム戦争を思わせる一九六〇年代後半から七〇年代前半に設定された(「『プラトーン』のような映画を思い浮かべていたんです[35]」)。桜は蓮(清らかさや聖性の象徴。ちなみに、ベトナムの国花)に変わり、セットはかぎりなく簡素化され、舞台の奥行が強調される演出である。観客通路の高低差ある階段が利用され、舞台にしつらえられた鏡にそれらが映し出される。しかも鏡は二重三重に設定され(正面および両サイドの三方向)、人物であれオブジェ(ろうそくやシャンデリア、さらには天井から垂れ下がった一〇本の赤いロープ等々)であれ、実像はたえず虚像=鏡像と重なり、奥へ奥へと観客のまなざしをいざなう。さらにはその鏡は中央で開閉し、巧みな照明とあいまって縦の構図を強調する仕掛けだ。仏壇から迷宮・迷妄へ。二重三重の影に怯えるマクベス。文字通り、「歩きまわる影法師、あわれな役者」のビジュアル化だろうか。加えて、マクベスとマクベス夫人の衣装の対比も興味深い。マクベスは白から赤=血、さらに白→白(加えて血の赤)→グレー→黒(裏地の赤)→赤(+シャツの白)→赤(+シャツの赤)→赤(裏地の黒)→赤・白(ただし血にまみれた白)へと変化する。他方、最初に蓮の葉を手に現れる夫人は、白→黒→黒→黒と手の赤→白→赤→白と変化する。ふたりがともにいる場面はといえば、すでに血にまみれたマクベスの白/夫人の白、さらに白/黒、黒/赤と、その波長は微妙に合わない。「白」に戻れなかったマクベスと「白」に戻ったマクベス夫人とでもいうかのように。蜷川はふたつのマクベスを明確に区別する。

『NINAGAWAマクベス』が、ある種のラジカルな運動の敗北者を意識していたとすると、今回は、世界じゅうで破れた二〇世紀の人間たち——革命でも、戦争でも、それにまつわる無差別爆撃でもいいんです——そういう大勢の人間の鎮魂歌になればいい。(…)鎮魂を個ではなくて、もっとグループ化したもの、集団として表したかった」[36]。「今まで、多くの舞台で大群衆を使ったり、仏壇や老婆を使ったりして、ある種の民衆像を差し出してきたのは、大衆的な時間の流れの中に古典的な作品を置くことで、現代との接点を作ろうとしてきたからです。それがヨーロッパ演劇に対抗するための方法だった。（…）たとえばヨーロッパ演劇に対するコンプレックスなんてどこにもない唐沢さんや大竹さんたちの演技を見ていると、既に現在という時間が彼らの身体に入っている」[37]。なにを隠そう、ヨーロッパに対するコンプレックスこそ、まさに蜷川世代の特徴だろう。多かれ少なかれ西洋の窓口であった「新劇人」固有の現象といってもいいかもしれない。彼の異常なまでの西洋へのこだわりは、そのなによりもの証左だろうし、西洋に「オリエンタリズム（東洋蔑視＝西洋崇拝）」的視線があるかぎり、「日本」を方法化することにはたしかに一定の戦略的意義もあろう。とはいえ、オリエンタリズムに「オクシデンタリズム（東洋崇拝＝西洋蔑視）」を対置するだけではおそらく充分ではない。それは二項対立を解体するどころか、強化するだけだろうからだ。

　彼が小劇場と、大劇場、外国での公演はすべて等価であり、価値の優劣はないというとき、つまり、「3つの空間での演劇は、それぞれの主張によってお互いを相対化してゆくのだ。ぼくはどこにもいない。しかしどこにでもいる」[38]と言うとき、過去と現在、古典と現代、芸術と芸能、知識人と大衆、さらには精神と身体、西洋と日本の間の等価性はどう捉えられているのだろうか。あるいはどう捉えられ得るのだろう。「もう彼ら（唐沢、大竹等――等者注）は勝手に国境を越えている。日本人だ、外国人だなんていう区別も意味がない。そういう世代と仕事をすると、自分のアイデンティティを無駄に誇張して伝えなくてもいい、もっと軽々と彼らは世界性を獲得していると思えるんですよ。彼らによって僕はより自由になった(39)」。このように蜷川は語るが、彼は本当に西洋から、シェイクスピアという権威から解放されたのか。世界性の獲得とはなにか。それは先の普遍性とどう違うのだろうか。彼が戯曲と演出、文学と演劇の二項対立を是とし、その等価＝拮抗関係を生きようとするかぎり、たえず二律背反の危機を内在させていることは否めない。いや逆だろうか。蜷川は、むしろ二項対立から出発し、等価＝拮抗関係の構築という超克のエネルギーをみずからの創造のバネとしているのかもしれない。とすればそのとき、役者はどういう位置にあるのか。冷戦後を生きる蜷川は、戯曲との等価＝拮抗関係以上に、役者との等価＝拮抗関係を生きはじめていたということだろうか。対西洋から脱西洋へ、西洋の咀嚼から西洋の異化へ。蜷川が普遍性と世界性のはざまにいた(だろう)ことだけはたしかだ。

劇団☆新感線『メタルマクベス』

1. 概略

つかこうへいのコピー劇団として出発した劇団☆新感線が、オリジナル路線へ変更し、やがて「いのうえ歌舞伎」「音モノ」「ネタもの」と分類される諸作品を輩出する一大芸能集団へと生成・発展していったことは周知の事実であろう。そのほとんどが、中島かずき(一九五九年〜)作、いのうえひでのり（一九六〇年〜）演出からなる作品群であり、古田新太、高田聖子、橋本じゅん等がいまなお中心メンバーとして名を連ねている。ただし、ここ一〇年は、外部スターの主演が続き、脚本も中島以外の外部作家のものが取りあげられ、「いのうえ歌舞伎第二章」[40]ならぬ、新たな「新感線第二章」に踏み出している。

『メタルマクベス』（二〇〇六年）は、Ｒシリーズ（音モノ）の系列に属する第二弾であり、原作・シェイクスピア（松岡和子訳）、脚色・宮藤官九郎（一九七〇年〜）、演出・いのうえひでのりの布陣からなるロック・ミュージカルである。大人計画所属の宮藤官九郎は脚本家、俳優、作詞・作曲家、放送作家、映画監督、ミュージシャン等々、マルチな才能の持ち主であり、劇団☆新感線参加作品としては、脚本を手がけた『蜉蝣峠』（二〇〇九年）、『Ｖａｍｐ Ｂａｍｂｏｏ Ｂｕｒｎ〜ヴァン！バン！バーン！〜』（二〇一六年）がある。「メタルマクベス」というアイディアは以前からあった。いま機が熟し、R.S.C.＝「ロックする（Rockin）シェイクスピア劇団（Shakespeare Company）」の発進だといのうえは言い、宮藤は「〈メタル〉と〈マクベス〉というキーワードが二つ合わさって、化学反応のようになんかすごいエネルギーが発生し、自分の頭からは決して生まれる筈のない新しいストーリーが生まれた[41]」と述べている。

新感線の魅力は、ひとえに「軽くて深い」、この一語に尽きる。徹底したエンターテインメントでありながら、単なる娯楽を超えた面白さ。芸術と芸能、アートとエンターテインメントという、いらぬ垣根を一挙に取り払った心地よさ、小気味よさがそこにはある。

舞台は、西暦二二〇六年、ESP王国の将軍ランダムスターと同僚エクスプローラーが三人の魔女と出会うところから始まる。魔女たちはランダムスターを「マクベス」と呼び、「マホガニーの領主人、いずれ王になる方」と一枚のCDを差し出す。「知りたいことはすべてこのCDのなかにある」と。それは一九八〇年代に活躍したヘヴィ・メタルバンド「メタルマクベス」のアルバムであり、ジャケットにはランダムスターやエクスプローラー、さらには忠臣グレコそっくりの写真が写っていた。

舞台は一転して一九八一年の大阪。ヘヴィ・メタブームに湧くなか、「メタルマクベス」というバンドが活躍していたが、バンドの構成は、ボーカルでリーダーのマクベス、ギターのバンクォー、ベースのマクダフ、ドラムのナンプラーという布陣。所属するダンカンミュージック社長の元は、息子のきよしを加えた「きよし・ウィズ・メタルマクベス」で売り出さないかともちかける。身重の妻を抱えたマクダフはすべてを受け入れようとするが、マクベスは事務所をやめ、はじめからダンカン社長に懐疑的だった、新人発掘とマネージメントを生業とするローズの意見に従うことにする。

ふたたび二二〇六年。マホガニーの領地を与えられたものの、ランダムスターは内心面白くない。CDを聞いたランダムスター夫人は、ESP王国レスポール王を殺せとランダムスターに迫る。そして祝宴の日、レスポール王Jr.の短剣を使って犯行は実行される。Jr.は身の危険を感じ、現場から逃げ出す。エクスプローラーも殺害されるが、子どものマーシャルは難を逃れる。エクスプローラーの亡霊はしつこくランダムスターに取り憑き、彼の神経を苛む。

それから五年。鋼鉄城で王位についたものの、ランダムスターは夜毎レスポール王の亡霊に取り憑かれ一睡もできず、地下室で「メタルマクベス」のCDを聞く日々が続く。その姿を見つめるランダムスター夫人＝ローズもついに発狂する。フェルナンデス国の将軍パール王の援助を得て、Jr．とグレコはランダムスター征伐にやってくる。しかし、殺しても殺してもランダムスター＝マクベスは死なない。やがて、「電気が足りない」「俺に電気を流せ」とギターを引き続けるランダムスター＝マクベスは鋼鉄城の自爆＝崩壊とともに消え去る。あとには、二本指を突きたてた彼の片腕だけが残っていた――(42)。

2．重ねられた世界

冒頭の三人の魔女の登場からして面白い。松岡訳（「きれいは汚い、汚いはきれい」）と小田島訳（「いいは悪いで悪いはいい」）がとりあげられ、「忠実忠実っていっても、日本語に訳している時点でそれはもう忠実ではないんだから、翻訳者の主観を楽しむべきじゃない」（魔女のひとり「林さん」の台詞）と、さらりと脱『マクベス』化が図られる。

ロックコンサート張りの大音響、バックの大スクリーンに映しだされる歌詞や写真、さらには巧みな映像処理（たとえば、ランダムスター夫人＝ローズの投身自殺の場面など）。とにかく、観客を飽きさせないスピーディな場面展開。ギャグあり笑いありチャンバラ？　ありの「ロック・ミュージカル」

だ。物語は、二〇〇六年のＥＳＰ王国と一九八〇年代の大阪「（ヘヴィ）メタルマクベス」バンドが同時並行的に描かれるが、これに原作の『マクベス』が加わり、三重構造からなる作品ということができる。いや、さらに「メタル」（エレクトリック・ギター）の歴史が重ねられ、三重四重に楽しめる作品となっている。

「メタルマクベス」バンドのメンバーは、ヴォーカルのマクベス内野（内野聖陽）、ギターのバンクォー橋本（橋本じゅん）、ベースのマクダフ北村（北村有起哉）、ドラムのナンプラー（粟根まこと）からなり、ここにマネージャー役のローズ（松たか子）が加わる。このメンバー名が、原作の『マクベス』と重なることはいうまでもないが、そこにローズやナンプラーの名はない。ただし、『メタルマクベス』の最後でマクベスを追いつめるのは、まずフェルナンデス国パール王（ナンプラー）であり、ついでグレコ（マクダフ）である。しかし、原作と違って、ランダムスター（マクベス）は殺されない。彼は自滅する。そのことはなにを意味するのだろう。

一方、ＥＳＰ王国のメンバーは、ランダムスター＝マクベス（内野）、ランダムスター夫人＝ローズ（松）、エクスプローラー＝バンクォー（橋本）、レスポール王＝元社長（上條恒彦）、レスポールＪｒ.＝息子きよし（森山未來）、忠臣グレコ＝マクダフ（北村）の面々である。

ＥＳＰ王国が原作のメンバーならびにその物語をほぼ踏襲するのに対して、マクベス夫人にあたるローズやマクダフ夫人にあたるシマコ（高田聖子）、さらに元親子は「メタルマクベス」の外部にとどまる。いや、彼らがバンドおよびそのメンバーに関わってくることによって、否応なしに「メタルマクベス」バンドに亀裂が生じ、崩壊していくという展開だ。「メタルマクベス」バンドがメジャー化を目指すとき、仲間のバンクォーが邪魔になり、いずれは元親子も最たる障害となるだろう（そこまでは描かれないが）。

ところで、一九八〇年代と二二〇六年をつなぐのは、「メタルマクベス」バンドが残した一枚のCDだ。魔女三人（三人とも色違いのミキハウスのトレーナー「赤」「緑」「黄」を着ている。和歌山毒物カレー事件の林某を思わせる、右近健一演じる「林さん」は、途中二度ばかり松たか子「林B」と入れ替わる）が手にしているのもそれであり、CDを通して、未来のマクベスは過去のマクベスに回帰していく。「メタルマクベス」バンドの内紛はそのまま近未来に持ち越され、原作同様、未来のランダムスターは追いつめられ、夫人も自殺し、みずからも自滅＝自死する。とはいえ、なぜ、未来のマクベスはかくも過去のマクベス、いや「メタルマクベス」に惹かれ、回帰していくのか。

ここで興味深いのは、未来のESP王国のメンバーたちの名前だ。ランダムスター、エクスプローラー、レスポールはいずれもエレキギターの名称であり、かつランダムスターはESP社製、あと二者はギブソン社製である。ちなみに、ローズウッドはギターやベースの指板材名。メイプル、マホガニーも同様であり、ランダムスターの居城はメイプル城（待ち受けるのはランダムスター夫人＝ローズ）、さらに新たに手に入れるのはマホガニー城、そして最後に入場するのが「鋼鉄城」といった具合だ。

ギブソンは一九〇二年創業のアメリカの大手楽器メーカー。五二年、ギタリストのレス・ポールと共同でソリッドギターを設計し、レスポールモデルを開発した。さらに、五〇年代末には、エクスプローラーを生み出したことでも有名。他方、グレコは六〇年に設立された日本の楽器メーカー（フェンダー・ジャパンブランドとして有名だが、ギブソン製レスポールのコピーも生産）。七五年に設立されたESPもまた、グレコ・ブランドに関わっていた椎野秀聰によって創業され、八一年にアメリカ進出した音楽関連企業であり、ギブソンの伝統的モデルのコピーブランドを有する。パールも四六年に設立された、打楽器やフルートの日本の製造・販売メーカーである。

グレコもフェルナンデス（国産ギターメーカー）もESPも、先行するアメリカのギブソン、フェンダーに対して、後行する日本の楽器メーカーにほかならず、先行二社をコピーするブランド企業であることは否めない。日米の主導権争いがそのまま透けて見えるようだが、かくして、ランダムスター（ESP）がエクスプローラー、レスポール（ギブソン）と袂を分かとうとするのは当然だし、レスポールの忠臣グレコがレスポールJr.を守り、フェルナンデス（フェンダー系）国パールに託そうとするのも肯なるかなといえよう。いうまでもなく、パールはギターではなく打楽器メーカーであり、パール＝ナンプラーがドラム担当である以上――。加えて、ESPは一九八〇年代のジャパニーズ・ヘヴィメタル（ジャパメタ）ブームに乗り躍進したが、フェンダーはすでに六五年に売却、ギブソン社も八六年に買収され、再編を余儀なくされていたという事実も、このミュージカルになんらかの影を落としているかもしれない。

劇団☆新感線『メタルマクベス』（初演）。ランダムスター役の内野聖陽とランダムスター夫人役の松たか子。　提供：ヴィレッヂ・劇団☆新感線

3．ランダムスター＝マクベス

このミュージカルの面白さは、単に過去と未来が同時並行的に描かれているということにとどまらない。未来のランダムスターが過去のマクベスに回帰していくドラマ、いや、ランダムスターがマクベスになる、ランダムスター＝マクベスに生成変化するドラマといっていい。いわば「メタルマクベス」へのプロセスだ。ランダムスター（ギター）はマクベス内野（ヴォーカル）と一体化しなければいけない。真の「メタルマクベス」になるために。未来のランダムスターはみずからの弾き手を求めている。それも単なる弾き手ではない。エレキギターそのものと合体した弾き手だ。その意味で、最後に「電気が足りない」と言って死んでいくランダムスターは、そこではじめてみずからの居場所を見つけたといっていい。

物語をもう一度整理しよう。「メタルマクベス」バンドは解散し、マクベスとローズのふたりきりになる。そして落ちぶれたマクベスは精神を病んだローズ（なぜかミキハウスの赤いトレーナーを着ている）とふたりライブを敢行する。そこで歌われるのが〈女の股から生まれた男やさかい／誰も俺を倒せない（マクベス）〉「女の股から生まれた男などに／誰もお前を倒せない（ローズ）／女の股から生まれた男〉。「女の股から生まれた男などに／誰もお前を倒せない（マクベス）」（予言CDに収められた曲だ）。ローズとマクベスの二重唱は、途中から、魔女たち、さらにはレスポール王、ランダムスターへと歌い継がれる。過去から未来へのシフトだ。一方、未来のランダムスター夫人（全身黒のロングドレス）も精神を病み、夢遊病者のように徘徊し、罪を告白する。そして言う、「マクベスの考えてることがわからない」。彼女は「私の体は　残忍さでいっぱい／頭のてっぺんから爪の先まで／殺意　殺意　殺意」と叫んで倒れる。彼女はもはやランダムスター夫人ではない。舞台はふたたび一九八〇年代に舞い戻る。マクベスひとりのゲリラライブが予告されるが、またもやふたりライブ。未来のローズ＝黒いドレスのランダムスター夫人が高らかに〈私の殺意〉をシャウトする。「私の体は　残忍さでいっぱい／頭のてっぺんから爪の先まで／殺意　殺意　殺意　殺意」。それに答えるようにマクベス＝ランダムスターも「私の体は　虚しさでいっぱい／頭のてっぺんから爪の先まで／失意　失意　失意　失意のどん底」と歌う。ここで気をつけなければいけないのは、ランダムスターがローズの着ていたミキハウスの赤いトレーナーを着ていることだ。ランダムスター夫妻がそれぞれマクベスとローズに憑依しているだけではない。ランダムスター自身がすでにローズと一体化している、いや、魔女に呪縛されているということだ。

「メタルマクベス」バンドのファンたちもミキハウスの赤いトレーナーを着ていることから、彼らのひとりがCDを手に入れ、それが魔女の手に渡った可能性もあるが、ローズがバンドのマネージャーであることを思えば、魔女のひとり（林）がローズに乗り移ったと考えるほうがわかりやすいかもしれない。事実、〈魔女たちの予言〉（「マクベス　いずれは王になるお方」「バンクォー　王にはならないが王を生み出す男」）を告げるのは、「林B」の松たか子その人だからだ。

CD所収曲一〇曲のうち、「予言」と銘打たれたものは二つ。最初の〈魔女たちの予言〉（「マクベス　いずれは王になるお方」）、〈二つめの予言〉（「バンクォー　王にはならないが王を生み出す男」）に対し、「三つめの予言」というタイトルはないが、〈女の股から生まれた男〉がそれにあたるだろう。「女の股から生まれた男などに／お前の苦悩は分かるまい／女の股から生まれた男やさかい／誰もお前を許さない」。さらにこのナンバーには、血まみれになったレスポール王が登場し、「猛り狂った猿の子孫が／剣で空を真っ二つに切り裂き／その裂け目から／陸の鯨が目を覚まさぬ限り／お前の世は安泰だ」という予言が付け加えられる。原作のバーナムの森に相当する予言であり、まさに予言通りに、いや予言がことごとく裏切られるようにことは運ぶ。眠っていた「陸の鯨」がついに目を覚ますとき、つまり、「鋼鉄城」が自爆＝崩壊するとき、ランダムスター＝マクベスも自滅する。

4. 和解する魂と体

ところで、CDの最終曲〈私の殺意〉はインストゥルメンタルであり、歌詞はない。その空白を埋めるのは松演じる魔女（林B）＝ローズ＝ランダムスター夫人だ。彼女の言葉がそのナンバーを、いやCD全体を完成させるということだろうか。「私の体は　残忍さでいっぱい／頭のてっぺんから爪の先まで／殺意　殺意　殺意　殺意／（…）まるで殺意のタマネギ／剥いても剥いても　殺意殺意／（…）私の殺意は　レッドゾーン／私が時々遠くで叱って／だって二人は　め・お・と」。最終的にランダムスター夫妻の一心同体ぶりが強調されるが、ミュージカル最後で同じナンバーがリプライズされるとき、歌詞は微妙に異なる。前段は変わらない。しかし中段は「まるで殺意のタマネギ／剥いても剥いても　魂はない」と変化し、さらに続く後段部分は中途で途切れてしまう。ランダムスター夫人が投身自殺してしまうからだ。彼女の自殺後、ランダムスターによって歌い継がれる歌詞は、まさに『メタルマクベス』版「トゥモロー・スピーチ」だ。

私の体は失意でいっぱい／愛する妻を亡くした今
つらい　つらい／かなり　つらい
私の失意は　ブラックホール／王冠が泣いている
空っぽの頭の上で
私の失意は　ブラックホール／叱ってくれたお前はもういない
だって私は　こ・ど・く
愛する妻も　友達も去った／残ったものは虚しさだけ

錆びた城と　虚しさだけ

「なぜ戦うのだ」というレスポールの亡霊に対し、「殺しが好きだからに決まっているだろう」とマクベスは抗弁する。そしてローズの亡霊を見たランダムスター＝マクベスは、グレコ＝マグダフに斬られても斬られても倒れない。「女の股から生まれた男などに／誰もお前を倒せない」というローズの言葉通りに。やがて、「電気が足りない」というマクベスに尋常ならざる電流が走る。そして、ギターをかき鳴らしながら、「陸の鯨」である「鋼鉄城」もろとも自爆する。

「魂がない」以上、ふたりは死ぬしかない。しかしランダムスターの死は、「失意」から「殺意」への、「こ・ど・く」から「め・お・と」への大いなるジャンプではないだろうか。ランダムスター夫妻はマクベス＝ローズに生成しなければいけない。すくなくとも、彼らに残された道は「メタルマクベス」のCDを生きること。いや、「殺意」と「失意」、「め・お・と」と「こ・ど・く」の埋まらない距離を埋めること。それこそが、「メタルマクベス」の完成ではないのか。そのためにこそ、この一枚のCDは残されたのではなかったか。とすれば、彼らは予言に呪縛されて死んでいくのではない。未完の予言、予言の空白を埋めるべくみずから死を選ぶのだ。「メタルマクベス」という、自己同一性の発見のドラマ。分離した「体」と「魂」が互いを求めあうように、メタルとマクベスはドッキングする。

原作『マクベス』の台詞の端々を縦横無尽に切り刻みながら、(43) その核心にあるマクベスとマクべス夫人の関係を「殺意」と「失意」というキーワードで切り結ぶ、宮藤の手腕は流石だ。ふたりは「体」と「魂」の分離を生きている。かくして宮藤は、マクベス夫妻は本来「一心同体」「一卵性夫婦」であったという「原作」の核心(44)を、予言の実現、ふたりの自殺＝過去と未来、魂と体の和解という形で実現する。ある意味、マクベスの最期を母胎回帰(胎児への回帰)という形で描いた蜷川以上にセンチメンタルといえようが、それもメタルのなせる業だろうか。未来のマクベスはすでに魂を失っている。原作のマクベスにもおそらく魂はないとすれば、「メタルマクベス」だけが失楽園として機能するだろう。発見されないかぎり、楽園は失楽園にとどまる。

＊＊＊

『マクベス』そのものの翻案であれ、『マクベス』に拮抗する演出であれ、黒澤、蜷川の両演出が西洋と日本の対関係を前提とし、多かれ少なかれその軛《くびき》から逃れ得なかったとすれば、新感線版マクベスの軽さはどうだろう。これが蜷川の言う「世界性」だろうか。『メタルマクベス』が「軽くて深いミュージカル」であることだけはたしかだ。

翻案が時代と切り離し得ないものであるということはいうまでもないが、つぎつぎと生まれる新しい翻案がたんに原作の翻案であるだけでなく、先行する翻案のさらなる翻案という性格を帯びていることをわれわれは忘れてはいけない。映画、ストレートプレイ、ミュージカルとジャンルは違うが、ひとつジャンルの可能性を追い求めることが結果としてそのジャンルの臨界点を垣間見させ、ジャンル横断、テーマ横断というさらなる別の地平へといざなう。黒澤、蜷川、新感線の『マクベス』翻案は、そのことを教えてやまない。原作の豊かさは、たえざる翻案の試み、翻案そのものの可能性を探ることによってしかあらわにならない。近づくために遠ざかるといったらいいだろうか。

[注]

(1) *The Tragedie of Macbeth, London, 1623.* ウィリアム・シェイクスピア、河合祥一郎訳『新訳マクベス』(角川文庫、二〇〇九年)。以下、本章では河合訳使用。

(2) 同上、四八~四九頁の注。

(3) マクベス映画としては、オーソン・ウェルズの『マクベス』(一九四八年)、ロマン・ポランスキー『マクベス』(一九七一年)、ジャスティン・ガーゼル『マクベス』(二〇一五年)などがある。また、ニコライ・レスコフの小説『ムツェンスク郡のマクベス夫人』(一八六四年)を原作とするショスタコーヴィチのオペラ『ムツェンスク郡のマクベス夫人』(一九三四年)やアンジェイ・ワイダ監督『シベリアのマクベス夫人』(一九六一年)、『マクベス夫人/レディ・マクベス』(二〇一七年)などもある。

(4) マートライ・ティタニラ「『蜘蛛巣城』における西洋と東洋の芸術の受容——シェイクスピア『マクベス』と能の比較より」『演劇映像』〈五一号、早稲田大学演劇映像学会、二〇一〇年〉ほか参照)。

（5）ロジャー・マンヴェル『シェイクスピアと映画』白水社、一九七四年、一五二頁。
（6）本橋哲也『侵犯するシェイクスピア――境界の身体』青弓社、二〇〇九年、一九五頁。
（7）前掲書『シェイクスピアと映画』、一四九頁。大橋洋一は、『蜘蛛巣城』の最後の場面は自然の再生力の心象風景であり、原作のもつ脱人間中心主義的な側面への注視になっていると指摘する。後年の『乱』では、その自然の治癒力・再生力が失われてしまう、とも。「シェイクスピアと黒澤明映画の文化的可能性」、野崎歓編『文学と映画のあいだ』（東京大学出版会、二〇一三年）参照。
（8）佐藤忠男『黒澤明解題』（同時代ライブラリー）、岩波書店、一九九〇年、一八九頁。
（9）共犯から外されたマクベス夫人のショックを、松岡和子は「『母親離れ』した『息子』は一人でことを運ぶ」（『すべての季節のシェイクスピア』筑摩書房、一九九三年、一二五頁）とコメントしているが、彼女はweの使用を例にとりながら、マクベス夫妻を「一心同体のカップル」「一卵性夫婦」と呼ぶ。
（10）都筑政昭『黒澤明――その作品研究』（下）、すばる書房、一九七六年、一八九頁。
（11）野村萬斎「黒澤映画：能・狂言の序破急」、『文藝別冊　黒澤明』（KAWADE夢ムック）、河出書房新社、一九九八年、三九～四〇頁。
（12）前掲書『黒澤明解題』、一九四頁。
（13）同上、一九三～一九四頁。
（14）黒澤明『蝦蟇の油――自伝のようなもの』岩波書店、一九九〇年、二七二頁。
（15）『全集　黒澤明』第四巻、岩波書店、一九八八年、三二二頁。

(16) ラッセル・ジャクソン編、北川重男監訳『シェイクスピア映画論』開文社出版、二〇〇四年、二二〇頁。
(17) 前掲書『黒澤明――その作品研究』(下)、一九〇頁。
(18) 前掲書『シェイクスピアと映画』、一四九頁。
(19) もうひとつのシェイクスピアの翻案作品『乱』(一九八五年)は、『リア王』の翻案とみなされるが、黒澤自身の無常観が前面に押しだされ、より「日本的」脚色が強調された作品となっていることは否めない。それは皮肉にも、黒澤が一九六〇年代以降、「世界のクロサワ」化していった事実と関係があるかもしれない。
(20) 扇田昭彦『蜷川幸雄の劇世界』朝日新聞出版、二〇一〇年、九六頁。
(21) 蜷川幸雄『Note 1969~2001』河出書房新社、二〇〇二年、二九五頁。
(22) 同上、一六〇頁。
(23) 蜷川幸雄、長谷川浩『演出術』紀伊國屋書店、二〇〇二年、二三一頁。
(24) ウィリアム・シェイクスピア、小田島雄志訳『マクベス』(白水社、一九八三年)。以下、シェイクスピアからの引用は小田島訳。
(25) 前掲書『演出術』、二三一頁。
(26) 高橋豊『蜷川幸雄伝説』(人間ドキュメント)、河出書房新社、二〇〇一年、一六〇頁。
(27) 前掲書『演出術』、二三三頁。
(28) 前掲書『Note 1969~2001』、一六〇頁。当然この問いは、いやおうなしに、自分の舞台に観客の日常は拮抗しているのか、という反問を生むだろう。「観るやつも自己史を問え」と。蜷川が、日常と非日常、自己と他者との関係を問うものとして舞台を捉えていることだけはたしかだ。
(29) 同上、二八九頁。
(30) 扇田昭彦も黒澤の影響を示唆している。ただし、具体的な分析はない (T. Sasayama etc.'*Shakespeare and the Japanese Stage*, Cambridge University Press, 1998, p.23)。ちなみに、映画評論家佐藤忠男はすでに、黒澤明世代は西洋と日本のふたつの伝統の混合を生きており、黒澤の才能は、両者の混合にあると述べている。「ヨーロッパやアメリカのドラマツルギーによって日本を解釈し直すと同時に、日本の芸術のテクニックによってヨーロッパやアメリカのドラマツルギーを解釈し直そうとする」(『黒澤明の世界』三一書房、一九六九年、二二四頁)。蜷川もまた、このふたつの伝統から出発し、その異種混淆の可能性に賭けているとはいえないだろうか。
(31) 前掲書『Note 1969~2001』、一五九頁。
(32) 加藤裕明は、『NINAGAWA マクベス』の独自性を「日本的なシェイクスピア劇」ではなく、古典劇と大衆演劇、梵鐘の音と西洋音楽、催涙弾の効果音といった異文化を相互に越境させる演劇的衝動に見ているが、要は「日本」の内実であろう。氏の言う越境文化性こそ「日本」の核心ではないだろうか。加藤裕明「桜とマクベス——『NINAGAWA マクベス』に見る越境文化性」『北海道大学大学院教育学研究院紀要』(一一一号、二〇一〇年)。
(33) 前掲書『Note 1969~2001』、一六二、一六四頁。
(34) 同上、二七九頁。

(35) 前掲書『演出術』、二四五頁。
(36) 同上、二五三頁。
(37) 同上、二五五頁。
(38) 前掲書『Note 1969~2001』、二七四頁。
(39) 前掲書『演出術』、二五六頁。
(40) いのうえは、「05年の『吉原御免状』から、より人間ドラマに主軸をおいた新しい《いのうえ歌舞伎》第二章へと移行していった」(『蛮幽記』パンフレット)とみずから解説している。それと軌を一にするように、Rシリーズ(音モノ)の第一弾ロック・ミュージカル『SHIROH』(脚本中島)が二〇〇四年に実現し、以後、『メタルマクベス』『五右衛門ロック』(二〇〇八年)、『薔薇とサムライ~GoemonRock OverDrive』(二〇一〇年)と続いている。
(41) 『メタルマクベス』パンフレット、A-10~11。
(42) 『メタルマクベス』は二〇一八年にIHIステージアラウンド東京で再演されたが、Disc1(橋本さとし、濱田めぐみ主演)、Disc2(尾上松也、大原櫻子主演)、Disc3(浦井健治、長澤まさみ主演)と三バージョンが上演された。大筋は変わっていないが、時代が二〇一八年、未来の土地は青山から豊洲跡=IHIステージアラウンド東京がある場所に変えられた(洒落だろう)。そのほか、ダンカンミュージック元の息子が歌手ではなく、バンドの現場マネージャーであったり、ESP王国のレスポールが自分の息子を後継者に指名するなど、微妙な違いが見られる。最後に、ミサイルが舞台中央に立ち上がり、大量破壊兵器「陸の鯨」の実態が可視化されることも大きな違いだ。当然、ストーリーの変更に伴い、楽曲も若干変わらざるを得ない。たとえば、歌手志望の元きよし（森山未來）の歌う〈メタル演歌～七光り三度笠～〉が削除され、レスポールの歌が増えている。

(43)「きれいは汚い、汚いはきれい」「マクベスは眠りを殺した／マクベスはもう眠れない！」「俺の心はサソリでいっぱいだ！」「朝が来なければ夜は永遠に続くからな」「女から生まれたやつには屈伏しない」といった『マクベス』の台詞は、さまざまに変奏され、台詞なり歌詞に反映されている。

(44) オーストラリア映画『マクベス　ザ・ギャングスター』（ジェフリー・ライト監督、二〇〇六年）の最後は、マクベスが浴槽で自殺したマクベス夫人のもとにかけより、「死の接吻」で終わる。これもまた「一卵性双生児」的な解釈といえるかもしれない。

■資料1　劇団☆新感線『メタルマクベス』(2006年) シーン(DVDチャプター)

I	1	三人の魔女 (未来／2206年)
	2	マクベスが甦る
	3	鋼鉄城～勝利の宴 (未来)
	4	魔女たちの予言 (未来)
	5	メイプル城～夫妻の寝室 (未来)
	6	メタルマクベス 打ち合せ会場 (過去)
	7	マホガニー城～邪悪な企み (未来)
	8	永遠の眠り (未来)
II	1	鋼鉄城～夫人のため息 (未来)
	2	暴君 ランダムスター王 (未来)
	3	メタル VS パンクス (過去／1986年→未来)
	4	フェルナンデス国～グレコとJr.の再会 (未来)
	5	マクベスとローズ (過去→未来)
	6	グレコの城～未亡人 (未来)
	7	鋼鉄城～小さな二人 (未来→過去)
	8	戦～デス・フォー・ランダムスター (未来)
	9	瓦礫の荒野 (未来)

■資料2 『メタルマクベス』ナンバー(DVDライナーノーツ)

※下線を引いたものは「メタルマクベス」CD所収曲。

第1幕	
1	きれいは汚い、ただしオレ以外：ランダムスター（内野）
2	炎の報告〜続・炎の報告：冠君（冠）
3	魔女たちの予言：魔女たち（右近、村木、山本、松）
4	自問・シャウト・自答：ランダムスター（内野）
5	リンスはお湯に溶かして使え：メタルマクベスバンド（北村、橋本）
6	ダイエースプレー買うてこいや：メタルマクベスバンド（北村、橋本）
7	私の殺意：メタルマクベスバンド／ランダムスター夫人（松）
8	メタル演歌〜七光り三度笠〜：元きよし（森山）
9	スコーピオンハート：ランダムスター（内野）
10	王を弔う唄：冠君（冠）

第2幕	
1	夫人のため息：ランダムスター夫人（松）
2	あの娘のブーツは豚の耳の匂い：エクスプローラー（橋本）
3	二つめの予言：ランダムスター（内野）
4	スコーピオンハート part2：ランダムスター（内野）
5	女の股から生まれた男：マクベス／ローズ（内野／松）→ランダムスター（内野）、魔女
6	未亡人哀歌：グレコ夫人／ローマン（高田／中谷）
7	明けない夜は SO LONG：レスポール Jr.（森山）
8	私の殺意〜私の失意：ランダムスター夫妻（内野／松）

■資料3 「メタルマクベス」バンドのCD所収曲(DVDライナーノーツ)

1	きれいは汚い、ただしオレ以外(内野)
2	炎の報告
3	魔女たちの予言
4	自問・シャウト・自答(内野)
5	女の股から生まれた男
6	スコーピオンハート 俺の体はサソリでいっぱい(内野)
7	リンスはお湯に溶かして使え(北村)
8	ダイエースプレー買うてこいや(北村)
9	あの娘のブーツは豚の耳の匂い(橋本)
10	私の殺意(インスタルメンタル)

column 1

レ・ミゼラブル

本書では『レ・ミゼラブル』を取りあげていないが（以前、拙著『フランス・ミュージカルへの招待』で詳述した）、ミュージカルの人気投票をすれば、おそらくベストテンに必ず入ってくる作品のひとつだろう（ちなみに筆者周辺の人気ミュージカルは、『レ・ミゼラブル』『エリザベート』『レント』の三本）。

原作は言わずと知れたヴィクトル・ユゴー。文庫本で五～六冊はくだらない長篇小説であり、一片のパンを盗んだことから一九年牢獄に入れられたジャン・ヴァルジャンが、出獄後に心を入れ替え、犠牲と贖罪の生活のまま死んでいくという物語である。ストーリーそのものはさほど複雑ではないが、途中で挿入される蘊蓄話がとにかく膨大だ。ナポレオン話やら、パリの浮浪児やら下水道話やら。映画も数多く制作されてきた。しかし、現在のレミゼ人気は、やはりミュージカル人気に負うところが大きい。

ミュージカル版はもともとフランスで制作され（一九八〇年）、数年後に英語版に生まれ変わった（一九八五年）。フランス語版の直訳が三分の一、翻案が三分の一、オリジナルが三分の一といわれる。たとえば、人気ナンバーであるOn my ownやBring him home、Cafe songはすべてフランス・オリジナル版には存在せず、英語版にはじめて登場した。

二〇一二年にミュージカルの映画版が生まれ、その人気は一気に頂点に達した。曲も一曲増え、ジャン・ヴァルジャンと警部ジャベールの追跡劇をメインとして、「薄幸の女性」ファンティーヌとその娘コゼットに焦点があてられた。

ヴァルジャンが天に召されるとき、ファンティーヌが現れ、司教(なんと舞台版初演でヴァルジャンを演じたコルム・ウィルキンソン)のもとに送り出す。舞台版では、最後に現れるのはファンティーヌとエポニーヌであり、恋に敗れ、死んでいった「薄幸の女性」ふたりが、いわば一幕と二幕のヒロインであったことを示唆するが、映画版ではエポニーヌの影は薄く、ファンティーヌとコゼットの母娘愛が強調される。なによりも、映画版の最後は、「レ・ミゼラブル(哀れな人々・悲惨な人々)」が一堂に介し、実は彼らが「天に召される人々=救われる人々」であることをビジュアルとしてしかと見せてくれる。だが、そこにジャベールとテナルディエの姿はない。

この作品のなかでもっとも救われないのがこのふたりだ。ジャベールはヴァルジャンを追跡しているうちに、次第に彼に近づき、彼を許すところまでいってしまう。しかし、ジャベールは自分が自分でなくなることに耐えられず、自殺する。法の番人という職務に忠実だったともいえるし、自分のアイデンティティに縛られたともいえる。結局、自分を変えることができない。ほかの人々が自分を変える/自分が変わることによって救われていったことを考えれば、彼我の違いはあきらかだ。テナルディエはもっと悲惨？ だ。彼は救われることなど微塵も考えていない。神であれ、法であれ「正義」の枠外にいるのがテナルディエだ。演出のケアードは、ヴァルジャンとジャベールを新訳聖書的「赦しの神」と旧約聖書的「復讐の神」の対比として捉えているが、ではテナルディエはなんだろうか。

実際、天上(星)を仰ぎ見つつ落下していくジャベールと、地下から地上、さらには天上へと上昇していくヴァルジャンが対をなしているのに対し、上昇・下降運動と無縁であるのがテナルディエだ。彼には天国も地獄もない。迷路のような下水道が彼にもっともふさわしい居場所といえようが、一番ふてぶてしく、ある意味もっとも人間くさく見えてくるから不思議だ。神をも法をも畏れぬ、死の神として――。

第3章

ドン・ジュアン

究極的自己愛の結末

ケベック（フランス）・ミュージカル『ドン・ジュアン』をはじめてパリで見たとき、正直驚いた。愛されるだけで愛することを知らない男が、愛に目覚める話だったからだ。こんなドン・ジュアンって、ありなのだろうか。とはいえ、ドン・ジュアン伝説は古く、あまたの作家たちがドン・ジュアンに関する物語をものしていることも事実だ。ロイド・ウェバーの『オペラ座の怪人』のなかにも『ドン・ファンの勝利』という劇中劇（オペラ）があった。ドン・ジュアンの魅力とは一体なんなのか。ドン・ジュアンのなにがそれほど人々を魅了するのか。彼は神なき現代にあって、なにを教えるのか。

ドン・ジュアン／ドン・ジョヴァンニ／ドン・ファン伝説

［あらすじ］

セビーリャの色事師ドン・ファン・テノーリオが、つぎからつぎへと女性たち——女公爵イサベラ（ナポリ）、漁師の娘ティスベア（タラゴーナ）、騎士修道会領主（ドン・ゴンサーロ）の娘ドニャ・アナ（セビーリャ）、新婚のアミンタ（ドス・エルマーナス）——を騙し、従者カタリノンとともに各地を転々とする物語である。途中、（未遂に終わったものの）娘ドニャ・アナの名誉を踏みにじったとして、父ドン・ゴンサーロがドン・ファンに闘いを挑むが、「わしの怨念が貴様のあとをつけ狙ってやる[1]」との言葉を残し、逆に殺されてしまう。ゴンサーロの墓には「謹厳実直なる貴族の士、かの不届き者が神の懲罰に処せられんことを願う」と記されるが、やがてそんなゴンサーロの石像がドン・ファンの食卓にやってきて言う。明晩、自分の墓がある教会にきてほしい、と。ゴンサーロは、教会に現れたドン・ファンの手を取り、神の使者として裁きを下す（「撒いた種は刈らねばならぬ」）。ドン・ファンは「神に懺悔し罪の許しを乞いたい」と叫ぶが、ときすでに遅く、業火のなかで死んでいく。

1. 概略

ドン・ファン伝説のルーツはティルソ・デ・モリーナ（本名ガブリエル・テリュス）の『セビーリャ

の色事師と石の招客 El Burlador de Sevilla y Convidado de piedra』（一六一三年初演、三〇年出版）といわれるが、正確なところはわかっていない（便宜上、前述の［あらすじ］は本作のあらすじを採用した）。

「ドン・ファンは社会の調和を揺るがす個人主義の象徴であり、それに加えて神の掟に挑む異端児」[2]として表象されている。『セビーリャの色事師と石の招客』は、その後仏訳され、モリエールの『ドン・ジュアン』へつながっていくが、そこでは、徹底した無神論者に変貌することになる。そのせいか、モリエールの戯曲は上演禁止になり、一九世紀半ばまで再演されることはなかった。

2. 後悔しないアンチ・ヒーロー

モリエール『ドン・ジュアンもしくは石像の宴 Dom Juan ou le Festin de Pierre』（一六六五年出版・初演）は散文で書かれ、古典劇の法則（三一致の法則）も無視され、ジャンルも混淆した型破りのものとなった。モリエール（一六二二〜七三年）は、コルネイユ、ラシーヌとともにフランス古典主義の三大作家のひとりで、『タルチュフ』（一六六四年）、『人間嫌い』（一六六六年）、『守銭奴』（一六六八年）、『病は気から』（一六七三年）など風刺の効いた喜劇作品全三〇編を残した。

『ドン・ジュアン』の舞台はシシリー島。登場人物は、ドン・ジュアン、スガナレル（ドン・ジュアンの従僕）、エルヴィール（ドン・ジュアンの妻）、ドン・ルイ（ドン・ジュアンの父）、ドン・カルロス／アロンス（エルヴィールの兄弟）、シャルロット／マチュリーヌ（田舎娘）、騎士像、亡霊等々だ。

『セビーリャの色事師』との共通点は、ドン・ジュアン、スガナレルの主従関係と、騎士像と亡霊のエピソードのみである。騎士像、ゴンサーロの娘アナは登場しない。五幕からなり、「第一幕　ある宮殿の庭（ドン・ジュアンと妻エルヴィールとの会話）」「第二幕　海岸に近い田舎（田舎娘シャルロット、マチュリーヌとのアヴァンチュール）」「第三幕　森のなか（ドン・カルロス／アロンス兄弟との対話）」「第四幕　ドン・ジュアンの居間（父と妻との対決）」「第五幕　町の入口に近い田舎道（雷撃を受けてドン・ジュアンが悶死）」からなる。ドン・ジュアンは漁色家 coureur であり、偽善者であり、なによりも無神論者といっていい。

まず漁色家としての発言。「おれは征服者の野心を持っている、絶えず勝利から勝利へと突き進み、希望に限りをつけることができないのだ。おれは地上のことごとくを愛したいような気がする。おれの恋の征服をひろげるには、アレクサンダー大王と同様、別の世界があってほしいと願わずにはいられない(3)」（一－二）。

ついで、偽善者としての発言。「偽善は流行の悪徳だし、流行の悪徳ならなんでも美徳として通用するんだ。（…）人間のほかの悪徳なら、みんな非難も攻撃もしたい放題、だれだっておおっぴらにやっつける権利があるんだ。ところが偽善だけは特別扱いの悪徳さ、自分の手で世間の口をおさえつけ、罰を受けないでおさまりかえっていられるのだ(4)」（五－二）。美徳と悪徳の二項対立はここでは成立しない。ドン・ジュアンは、悪徳だろうと流行すればそれが美徳となる、美徳だから罰など受ける必要がないし、したい放題するだけ、とうそぶく。

そして、無神論者としての発言。「おれが信じるのは、二に二を足せば四になる、四に四を足せば八になる、これさ」[5]（三一一）。算術的真理しか信じない。要は量であり、質ではないということだ。だから、征服した女性の数だけが問題であり、どんな女性であるかは一切関係ない。スガナレルのつぎの言葉がわかりやすい。「おれの主人のドン・ジュアンさまは、世にも稀なる大悪党、気違いの犬畜生、悪魔、トルコ人、異端者、天国も地獄もお化けおおかみも信じないようなおかたなんだ、けだもの同然にこの世を渡るエピクロスの豚、放蕩無頼の殿さまさ。どんな忠告も馬耳東風と聞き流し、おれたちの信じるものはみんな根も葉もないとお取りあげにならぬ[6]」（一一一）。

なにがあろうと、決して後悔しない。最後、雷がドン・ジュアンの上に落ちても、『セビーリャの色事師と石の招客』のように「神に懺悔し罪の許しを乞いたい」と叫ぶことはない。

この徹底したアンチ・ヒーローをどう解釈したらいいだろうか。水林章は、石像は神・王権の代理であり、ドン・ジュアンは「悪魔」、反宗教的存在であると規定する。「人間が背負っている筈の神への負債を原理的に否定する者[7]」である、と。ドン・ジュアンは「家父長的家＝国家の破壊者」であり「起源としての神の否定者」にほかならない。たしかに神の時代にあって、この不遜なまでに神に反抗する無神論者が地獄落ちするのは不可避であろうが、たとえ死ぬことになったとしても、自分の原理・原則に殉ずるその騎士としての徹底振りこそ、彼のレゾンデートルでもあろう。悪のヒーローとしてのドン・ジュアン。橋本一郎は「ドン・ファンの本質は反逆にある。神聖冒涜のために地獄に落ちることを辞さなかった、強烈な自我にある」とし、それゆえ、反逆すべき対象を失った現代において、もはやドン・ジュアンの生きる余地はない、と続ける。果たしてそうだろうか。

神なき時代にあって、彼はいかなる変貌を遂げるのだろうか。そのことを検討する前に、もうひとつのドン・ファン神話を代表するモーツァルトの『ドン・ジョヴァンニ』を紐解くことにしよう。

モーツァルト『ドン・ジョヴァンニ Il Dissoluto Punito ossia Il Don Giovanni』

1．概略

台本ロレンツォ・ダ・ポンテ、音楽ヴォルフガング・アマデウス・モーツァルト『罰せられた放蕩者あるいはドン・ジョヴァンニ Il Dissoluto Punito ossia Il Don Giovanni』は一七八七年、モーツァルト（一七五六〜九一年）自身の指揮によってプラハ国立劇場で初演された。ただし、ウィーン第一版（検閲許可版）一七八七年、プラハ版（初演楽譜台本）一七八七年、ウィーン第二版（ウィーン初演用）一七八八年とあり、かつモーツァルトの手稿も残っている。なお、モーツァルトは主たるオペラを五つ（『後宮からの逃走』『フィガロの結婚』『コシ・ファン・トゥッテ』『魔笛』）作っているが、『ドン・ジョヴァンニ』はオペラ・ブッファ（あるいはドラマ・ジョコーソ［諧謔劇］）とみなされる。

オペラ版は、ティルソ・デ・モリーナ『セビーリャの色事師と石の招客』と、台本ベルターティ、作曲ガッツァニーガ『ドン・ジョヴァンニまたは石の客』（一七八七年）、さらにはモリエールの『ドン・ジュアン』がもとになっているといわれるが、騎士長（バス）と騎士長の娘ドンナ・アンナ（ソプラノ）、アンナの婚約者ドン・オッターヴィオ（テノール）が前景化しているのが特徴といえよう。

ドン・ジョヴァンニ（バリトン）の従者レポレッロ（バス）はカタリノンとスガナレル、騎士長とドンナ・アンナは『セビーリャの色事師』のドン・ゴンサーロとドニャ・アナ、ドン・ジョヴァンニの自称元妻エルヴィーラ（ソプラノ）はモリエール版のエルヴィール、農民の娘ツェルリーナ（ソプラノ）もモリエール版のシャルロット／マチュリーヌに相当するだろう。オペラは二幕からなり、場所はスペインのある町に想定されている（ただし、ダ・ポンテの台本にはそれとわかる記述はないようだ）。

『セビーリャの色事師』、モリエールの『ドン・ジュアン』同様、騎士長の殺害、その石像による懲罰という大筋は変わらない。しかしここでは、まさにその騎士長殺害から物語が始まるという点が興味深い。オペラ『ドン・ジョヴァンニ』は死で始まり、死で終わる。それゆえ、騎士長の娘ドンナ・アンナと婚役者オッターヴィオによる追跡・復讐劇が主たるアウトラインだ。加えて、ドン・ジョヴァンニの元妻を自称するドンナ・エルヴィーラが登場。彼女はマゼットという婚約者のいる農民の娘ツェルリーナを誘惑しようとするドン・ジョヴァンニを妨害したり、アンナ、オッター

オペラ『ドン・ジョヴァンニ』DVD。ドン・ジョヴァンニ役はチェーザレ・シエピ。指揮はヴィルヘルム・フルトヴェングラー。

ヴィオと手を組み、ドン・ジョヴァンニの前に立ちはだかる。ソプラノ三人（アンナ、エルヴィーラ、ツェルリーナ）とバス三人（騎士長、レポレッロ、マゼット）さらにはテノールのオッターヴィオが一緒になって、ドン・ジョヴァンニを徹底的に追いつめていくという構図だ。とはいえ、シリアス一辺倒ではなく、特に従者レポレッロの道化ぶりを見せたり、ツェルリーナとマゼットの若いカップルがコミカルな役回りを担当したりと、親しみやすい作品になっている。オペラ・セリアとオペラ・ブッファの総合といわれる所以だ。オペラならではの各歌手・歌曲の共演＝競演が見どころ・聴きどころだが、やはり最後の「石像との対決」が最大の見せ場＝魅せ場であることは変わりない[8]。ちなみに、初演の一七八七年は、モーツァルトの父レオポルトが死んだ年でもある。映画『アマデウス』のなかで、死んだ騎士長は墓から蘇った父レオポルトであり、モーツァルトは公衆の面前で父を批判したのだ、しかしそれは同時に、彼が父に取り憑かれていること、死後も完全に支配されていることの現れである、という台詞をサリエリが言う場面がある。

なんとも尋常ならぬ動揺に……
亡霊が襲ってくる感じを受ける……
どこからあの渦は生じるのだ、
恐怖に満ちた炎の渦は！（…）

誰がわたしの魂を引き裂こうとするのだ！
誰がわたしの腸《はらわた》を掻きむしるのだ！
なんたる責め苦、ああもう、なんたる狂おしさ！
なんたる地獄！　なんたる恐怖！（第二幕最終章）(9)

「悔い改めよ、生き方を変えよ」というたび重なる騎士像の戒めにもかかわらず、モリエール版同様、最後までドン・ジョヴァンニが神に許しを乞うことはない。

それにしても不思議なのは、従者レポレッロの存在だ。ドン・ジョヴァンニの正体を誰よりも知悉しつつ、なぜドン・ジョヴァンニのもとを離れようとしないのか。モリエール版のスガナレル同様、それは「普遍的な翻訳者」（アポストリデス）なのだろうか。ドン・ジョヴァンニの世界とそれ以外の人々の世界のいずれにも通じ、両者の言語を理解＝翻訳し、相互浸透させる蝶番としての役割。レポレッロは、ドン・ジョヴァンニの最大の理解者でありつつ、決して彼に同化しようとはしない、いやできない。不信心者ではないからだ。自分（の理解）を超えるものを信じるか否か、そこがふたりにとっての分水嶺であることはたしかだ。

2．ポスト『ドン・ジョヴァンニ』

モリエール、モーツァルト以降も、スペイン国内はもちろんこと、それ以外の国でもドン・ファン神話はさまざまな作品を生んでいく。一体、ドン・ファンのなにが作家たちを捉えて離さないのだろうか。

ホフマン『ドン・ジュアン』（小説／一八一四年）、バイロン『ドン・ジュアン』（詩／一八一九〜二四年）、プーシキン『石の客人』（戯曲／一八三〇年）、グラッペ『ドン・ジュアンとファウスト』（戯曲／一八二八年）、アレクセイ・トルストイ『ドン・ジュアン』（戯曲／一八六二年）、ホセ・ソリーリャ『ドン・ファン・テノーリオ』（戯曲／一八四四年）、二〇世紀になってもショー『人と超人』（戯曲／一九〇三年）、アポリネール『ドン・ジュアン手柄話／若きドン・ジュアンの冒険』（一九一一年）と枚挙にいとまがないが、興味深いのは、メリメの『煉獄の魂』（小説／一八三四年）である。これはテノーリオ家のドン・ファンではなく、アラーニャ家の放蕩息子ドン・ファンを扱った物語であり、原作と真逆の信仰厚い求道者の物語だ。またキルケゴールの「ドン・ジュアン論」（『あれか、これか』の第一部第二章）は、ドン・ファンの官能性の直接的表現を音楽として捉え、モーツァルトの『ドン・ジョヴァンニ』にその具現を見る。

グラッペの『ドン・ジュアンとファウスト』は、二人の巨人——反省の人ファウストと行動の人ドン・ジュアン——が総督の娘ドンア・アンナをめぐって対立する戯曲。アンナは言う、「ドン・ジュアンは燃えるように早い稲妻、ファウストは嵐をはらんだ雲[10]」、愛は自由、憎しみは奴隷のすることだ、と。アンナに愛されないファウストはついに彼女を手にかけるが、絶望したファウストは騎士（サタン）に殺され、「俺が本来あるものでいつまでもいたいのだ。もしほかの誰かになったら俺は無だ[11]」と言うドン・ジュアンも騎士に連れ去られてしまう。他方、トルストイの『ドン・ジュアン』では、「これが愛でなくて何であろう。何という／感動が私の魂を充しているのだろう！／懐疑は跡形もなく消え失せた……[12]」とドンナ・アンナは言い、ドン・ジュアンも「私は愛した。可哀想な私だ。／あのひとを信じて私は神を信じたのだ――／だがもうおそい。あのひとと共にすべてが滅んだ――何もかも――[13]」と告白する。しかし、最後は「自殺する？　それはたやすいことであろう。／借金を払えない人間は／よくこの手で難関を切り抜ける。／しかしそれでは負い目は払い切れない――／私は生きなければならない。死ぬなどできるものか[14]」と意地を見せる。『ファウスト』の影響だろうか、ここにあるのは天使と悪魔の対決であり、魂の救済が主題化されているのが特徴だ。

かくして、ドン・ファン神話の射程は広い。「誇り高い騎士、金のある放蕩児、勇気と剣を持った真摯なる愛の求道者[15]」とさまざまな横顔をもつ。最近では、幾何学への愛が語られたり、誘惑者ではない妻子もちのドン・ファンも登場している[16]。

ケベック版『ドン・ジュアン Don Juan』

1．概略

ミュージカル『ドン・ジュアン Don Juan』は作詞・音楽フェリックス・グレイ、演出ジル・

マゥー、振付エンジェル・ロハス、カルロス・ロドリゲスで、二〇〇四年にモントリオールで初演された。その後再演され（二〇一二・一三・一九年）、日本でも宝塚歌劇団によって上演された。フェリックス・グレイは歌手としてデビュー。作曲家としてパトリック・ブリュエルなどに曲を提供しているが、〇三年にこの『ドン・ジュアン』でミュージカルに初挑戦した。ジル・マゥーは『ノートル＝ダム・ド・パリ』（一九九八年）の演出で有名。なるほどモリーナやモリエールの作品を参照しているが、一七世紀や現代に限定されるものではない、とグレイは言う。

「おまえのようにありたいと願わない男はいないし、おまえと一緒にいたいと思わない女はいない」「誰もがおまえの名前は知っているけれど、真にどんな人間かはだれもが知らない」そんなドン・ジュアンの魅力に迫りたい、と。(17)

物語はオペラ版を踏襲し、騎士長の殺害から始まる。恋愛遍歴を続けるドン・ジュアンの前に、妻のエルヴィラが現れ、夫の不実を正してほしいと、ドン・ジュアンの友人ドン・カルロス、ドン・ジュアンの父ドン・ルイに訴える。しかし、ドン・ジュアンは聞く耳をもたない。そんな彼の前に騎士像の亡霊が現れ、「愛」の呪いをかける。やがて、ドン・ジュアンの前に「理想の女性」マリアが現われ、第一幕はドン・ジュアンが愛に目覚める予感で終わる。従来の作品と異なるのは、アンナ（ここではマリア）が騎士の娘としてではなく、騎士像をつくる彫刻家として登場していることだ。

第二幕はドン・ジュアンとマリアの愛の場面で始まる。〈変わる Changer〉の二重唱。ふたりの愛が成就するためには、変わらなければならないと歌いあげる。しかし、アンナには戦地に赴いたフィアンセのラファエルがいた。帰還したラファエルはエルヴィラにことの真実を知らされ、マリアとドン・ジュアンへ敵意、憎悪をつのらせる。他方、ドン・ジュアンも嫉妬にかられ、周囲の説得にかかわらず、ラファエルに決闘を申しこむ。騎士としてのプライドが許さないのだろうか。決闘の最中、ドン・ジュアンは騎士長の亡霊の声に戸惑い、「愛のために死ぬ」と歌いながら、まるでみずから死を望むかのように殺されてしまう。そんなドン・ジュアンをマリアが聖母のように包みこむ。

2. 決闘に始まり、決闘に終わる

このミュージカルの最大の特徴は、台詞を挟まず、全篇歌でつなぐフランメンコ・ミュージカルであることだ。常に舞台上にダンサーたち（および演奏者・歌手）が姿を見せ、ところ狭しと踊り続ける。舞台全体を使う場合もあれば、歌手のバックで、あるいは脇で踊る場合もある。フランス・ミュージカルの特徴ともいえる「スペクタクル・ミュジカル」の延長線上にあることは間違いない。「スペクタクル・ミュジカル」とは、『ノートル＝ダム・ド・パリ』で展開された歌手とダンサーの分離＝競合スタイルのことだが、ここでも八人の歌手が歌い、それ以外のダンサーたちがときに激しく、ときに官能的に踊る。歌手たちもまったく踊らないわけではないが、踊りの比重はあきらかに少ない。装置はほとんどなく（椅子とテーブル程度）、廻り舞台を有効に使って流動感、立体感を演出している。男女混淆はもちろんのこと、男性だけ、女性だけの踊り、さらには扇やカスタネットを使った踊りもある。特に一、二幕冒頭のナンバー（〈偉大な男が死んだ〉〈セビリアの恋人たち〉）、スペイン語で歌われるナンバー（〈生きる〉〈悲しみのアンダルシア〉）のダンスは圧巻だ。

物語冒頭で騎士長が殺害されるが、従来の作品と違うのは、決闘に始まり、決闘で終わるということだ。ただし、騎士の石像は第一幕でドン・ジュアンに罰がくだることを告げると姿を消し、その罰を受けるべく彼は新たな決闘に赴くという展開になっている。ドン・ジュアンの処罰劇という本質は変わらないが、その内実が異なる。

したがって、騎士長の娘（ドンナ・アンナ）ではなく、騎士像を制作する彫刻家としてマリアが登場する。名前がすでに示唆しているように、聖母マリアのイメージが重ねられていることはあきらかだ。彼女は愛を知らないドン・ジュアンにはじめて「愛」を教える／知らしめる女性になる。妻エルヴィラ[18]と父ドン・ルイの存在はモリエール版に近いが、この作品にはスガナレルやレポレッロといったドン・ジュアンの従者にあたる人物が見当たらない。友人役のドン・カルロス（モリエール版ではエルヴィラの兄弟として登場）がそれに一番近いと思われるが、彼は従者・家来ではなく、友人だ。ドン・ジュアンと同等の関係にあり、いわば分身のような存在といっていい（「彼は僕にとってすべてだった、友であり、兄弟だった」〈ドン・ジュアンが死んだ〉）。ドン・ジュアンの光と影を可視化する存在であると同時に、両者が対立すればするほど、ドン・ジュアンの孤独、孤高がより一層照射されるといった具合だ（「お前はすべてを手にしているが、なにも持っていない／すべてを所有しようとするが／決してそれを保持することはできない／お前を愛していると同時に憎んでいる」とドン・カルロスは歌う〈すべてを持っている男〉）。

ところで、オペラ版のドンナ・アンナの婚約者オッターヴィオと違って、ラファエルは復讐に燃え、オペラ版ではなされなかった決闘を実現する。その意味でも、注目すべきは、実質的に決闘を左右する騎士の石像だ。騎士の亡霊がドン・ジュアンにつきまとう。彼は死の影に取り憑かれている、といったらいいだろうか。このミュージカル自体が、死の影と闘うドン・ジュアンということができる。冒瀆の言葉をはき続けるドン・ジュアンに「お前の罰は愛だ Ta punition sera l'amour」と亡霊は言う。神の処罰ならぬ愛の処罰を受けて死ぬ、と。亡霊はそれを告げたところで姿を消し、あとはドン・ジュアンの孤独な処罰への旅が始まる。第二幕に亡霊の姿はなく、最後に舞台奥に騎士像として浮かびあがるだけである。

3. 罰としての愛

なぜドン・ジュアンは処罰されなければいけないのか。

それは「愛」を知ったからだ。彼は愛のために死ななければならない。重ねてなぜ？

「たった一人で死ぬ／それは代償を払うことだ／女たちが望む人間であるために／俺は愛のために死ぬ」「人々の魂の奥底で／生きるために死ぬ／解放される囚人のように／刑が執行される前に」（〈愛のために死す〉）。

神を信じていない彼にとって「悪はゲームだった」。彼はマリアに会い本当の「愛」を知ることになるが、それはどんな愛なのか。
彼は「愛と快楽、欲望 désir と欲求 envie」の違いを誰も教えてくれなかったと言う。

愛すること
それは生きたいという欲求より強いもの
それは自由でありたいという欲求よりも強いもの
それは俺を酔わせるアルコールよりも強いもの

愛すること
それは解放される囚人(19)
それは君のあとをついていきたいという力
それは生きたいという欲求より強いもの（〈愛する〉）

ラファエルの存在を知って、ドン・ジュアンははじめて「嫉妬」を経験する。これまでのように質的差異が問題でなかった従来のドン・ジュアンではもはやない。嫉妬は所有欲の端的な現れといえようが、いままで彼が嫉妬に悩まされなかったのは、数（の増減）だけが問題であり、相手＝所有対象の中味は問題でなかったからだ。しかし、マリアはそういう征服の対象ではない。質が問題であり、だからこそ悩むのだ。数に、量に還元できない唯一無二の人であるがゆえに悩むのだ。とはいえ、通常、嫉妬は所有の問題だ。ラファエルは、ドン・ジュアンにマリアを取られたからこそ半狂乱になるのだろう。いや、自分が愛しているにもかかわらず、相手の愛が自分に向いていないから、嫉妬に苦しみ、相手を憎むのだろう。エルヴィラも同じだ。自分の想いが一方通行でしかないことに悩み苦しんでいるのだ。ドン・ジュアンは違う。彼とマリアはいま相思相愛だ。とすれば、なぜ悩むのだろうか。所有し得ないことに悩んでいるのだ。すくなくとも、そういう所有し得ない関係がマリアとラファエルとの間にあったということが彼を苦しめる。すべてを独占したい。愛されるだけで愛することを知らなかったドン・ジュアンは気づく、愛において所有の問題が数（量）の問題ではないことに。逆に彼はこのとき、はじめて知ったのかもしれない、なぜ人が「愛」を求め、「愛」に傷つき、「愛」に涙するのかを。彼は変わらねばならない。いや、マリアを知ってドン・ジュアンはあきらかに変わった。

変わる　愛が訪れるために
変わる　情熱がふたりを解放するために
ある日　ふたりの歴史が本に書かれるように
変わる

変わる　愛が広がるために
上海の森からアイルランドへ
出向かなければいけないとき
愛しかないために
変わる（〈変わる〉）

このミュージカルの最大のポイントは、先行作では決して「変わらない」ドン・ジュアンが「変わる」ことだ。神も愛も信じない、なにがあっても変わらなかった彼が、神を信じ、愛を信じるに至る。自分のためにしか生きなかった男が、まさに他者のために生きる。それゆえ、神に処罰された彼が、今度は愛に処罰されて死ぬのだ。とはいえ、愛に目覚めた＝回心したのになぜ？　彼は「人々の魂の奥底で／生きるために死ぬ」。彼の愛が一方的な所有愛・嫉妬愛に転落しないために――。愛の処罰とは愛の試練にほかならない。ドン・ジュアンは「愛」のなんたるかを知らねばならない。彼は決闘で、とどめを刺すことなく剣を放り投げ、その隙にラファエルに刺されてしまう。「ラファエルを殺したら許さない」というマリアの言葉が脳裏を横切ったのだろうか。はたまた「あなたと一緒なら、地獄でさえ私を火あぶりにすることはないだろう」（〈愛だけが〉）という確信があったのか。ドン・ジュアンにとって、「マリアはすべてを捨ててもいい存在理由であり、生まれ変わりたい欲求 mon envie de renaître」であった（マリアもまた「生まれ変わりたい Une envie de renaître」と〈石像〉

で歌っていた）。とするなら、死ぬことは再生への意志だったのだろうか。罪人として死ぬこと。罪を犯した罪人としてではなく、罰を受け、罪を贖う罪人として死ぬこと。それこそ人として死ぬこと、いや、生きることにほかならない。そしてそれを可能にするものこそ、愛だった。

ここには、エロス的愛ではなく、アガペー的愛の地平が見え隠れする。

決闘の前に全員で歌われる〈独り〉がそのことを逆証しよう。「処刑台の前の／死刑囚のように独り／死刑執行人を前にした／無実の人のように独り／父を探す／子どものように独り／大地に眠る／物乞いのように独り／自分の人生を見ることなく／すごしたため／鏡の前で／独り」。

4．亡霊に導かれて

宝塚歌劇雪組公演『ドン＋ジュアン』[20]はケベック版の翻案であり、潤色演出・生田大和、音楽監督編曲・太田健、振付・佐藤浩希（フランメンコ・ダンサー）、桜木涼介ほかで、二〇一六年に初演された。生田は、ヒーロー／ヒロインを「愛に、呪われた男」「愛の呪いの二次的な被害者」と捉え、このミュージカルのテーマを「愛の呪い」「愛の処罰」とみなす。[21]タイトルの＋（十字架）が、なによりこのミュージカルのテーマを端的に表していよう。同じくタイトルに＋を用いた映画『ロミオ＋ジュリエット』（監督バズ・ラーマン）がそうであるように、このミュージカルもまた神に関わる物語であり、救済が問題であることに。

人物や物語構成に大きな変更はないが、ほとんど台詞のないケベック版に比し（台詞を言うのは亡霊のみ〉、歌と歌の間に台詞が入ることにより、点が線化され、ストーリーがわかりやすくなっている。「愛のために生きる」ために「愛のために死ぬ」という逆説がケベック版以上に説得的に語られる所以だ。

ケベック版との異同としては、つぎの点があげられよう。

①曲順の変更
たとえば一幕〈偉大な男の死〉と〈全てを手にした男〉の曲順が逆になっている。
②歌手の変更
多々見られるが、一幕〈愛を知る時〉のドン・カルロとドン・ジュアンの二重唱が亡霊とドン・ジュアンの二重唱に、二幕〈呪い〉（ケベック版〈誰？〉）のジタンとエルヴィラの二重唱が亡霊ほかの合唱に変更されている。
③曲の追加
一幕最後に〈彫像の除幕式〉、二幕四曲目の〈ドン・ルイとエルヴィラの諍い〉として、一幕の〈君の父上からの伝言〉〈望むならば〉が追加・反復。
④曲の削除
スペイン語のナンバー〈生きる〉〈悲しみのアンダルシア〉、および二幕の〈愛する二人〉〈天使たち〉〈悪魔の子ども〉が削除。

⑤曲の復活

ケベック版一幕の〈ひと房の髪〉が〈兵士たちの出発 恋人との別れ〉として復活。

①の曲順変更は、二番手男役の歌で始まりトップの登場を待つ、宝塚的構成のなせる技だろうし、⑤の曲の復活は、ケベック版では一幕最後に登場するラファエルとその仲間たちの出番を早くし、物語の背景をわかりやすくするためと考えられる。独唱パートが重唱・合唱に変えられているケースが多いのも宝塚版の特徴だ。

ケベック版との最大の違いは、亡霊／騎士団長の比重の大きさだ。ケベック版と違って、亡霊は全篇を通して登場し、最後の最後までドン・ジュアンに取り憑き、出没する。愛の処罰とは死の処罰にほかならない。ケベック版で唯一台詞を言うのは亡霊だが、宝塚版では台詞もさることながら歌い踊る。とりわけ、マリア（真実の愛）との出会いの伏線となるナンバー〈愛を知る時〉が、ドン・ジュアンとドン・カルロの二重唱ではなく、亡霊とのそれになっていることは見逃せない。「愛」を導くのは亡霊であり、ドン・ジュアンが「変わる」契機になっている。「どんな女も教えなかった快楽以上の愛の意味／いまこそお前に教えよう　愛が導く未来を」「愛を知る時　お前は欲望を捨てさる／愛を知る時　お前は新しい命に目覚める／愛を知る時　求める　彼女と導く未来を」（〈愛を知る時〉）。住んでいる世界が違うふたりが出会い愛が生まれるとき、なにかが変わるのだ。しかし、変わったのはドン・ジュアンだけではない。驚くなかれ、マリアは出来上がった彫像をみずからハンマーで破壊する。ドン・ジュアンの騎士殺害を模倣する第二の殺人であり、そのかぎりでふたりは「罪人」という共通点を有する。亡霊という「死」がふたりを結びつけたのであり、彼らは会うべくして会ったということになろう。「あなたと会ってなにかが変わってしまったの」とマリアは言う。「変わりたい。いや変わりはじめている。いままでの俺とはなにもかも違うものに」と言うドン・ジュアンに、「変われるわ。変わりましょう。いまこそ！　私たち二人で！」とマリアは高らかに宣言する。

しかし、ドン・ジュアンは変わることができない。周囲の反対にもかかわらず、ラファエルとの決闘に向かっていく。決闘のさなか、倒れても倒れても立ちあがるラファエル。「お前はなにも変わらず罪を背負って生き続けるのだ。お前が失おうとしているものがラファエルを立ちあがらせるのだ」「愛は特別なものではない。人は愛のために生きている。世界は愛に満ちている。お前だけがそこにいなかった。（…）結局お前には変わることができなかった」と言う亡霊の言葉に、ドン・ジュアンは自死するようにみずからラファエルの剣を受けとめる。「愛は人の証だったが／人であるために俺は死ぬ」と。

罪人として生きるより　せめて人として死にたい
そのための道が　これしかなかった
だから　愛のために　俺は死ぬ

お前たち　一人でもわかってくれるか　俺の絶望を
馬鹿げた人生だ　人であるために死ぬなんて
俺は俺を許せない　殺すべき敵は俺だった
だから死ぬ　一人で　生き続けるために　俺は死ぬ
彼女の心で　生き続けるために
愛のために　俺は死ぬ　〈愛のために俺は死ぬ〉

ケベック版の「人々の魂の奥底で／生きるために死ぬ」というフレーズが、ここでは「人として死ぬ」「人であるために死ぬ」とパラフレーズされ、「殺すべき敵は俺だった」「俺は死ぬ／彼女の心で　生き続けるために」とはっきり断言される。自分はこの世で「人」でなかった。「愛が人の証」なら、「人であるために死ぬ」ことは、「愛のために死ぬ」ことにほかならない。人して生まれ変わるために死ぬ。

彼の死後、「彼は生きている。愛した日々は生き続けている」とマリアが言うように、ドン・ジュアンは死んでいない、生きている。わけても、ドン・ジュアンが亡霊から一輪の赤いバラを手向けられる最後のシーンは、彼が許された＝生まれ変わったことのなによりの証左だろう。そして、お前が死んだとき、花を手向けるものなど誰もいないだろうと父に言われたドン・ジュアンに、出演者全員が一輪の赤いバラをかざす演出は美しく印象的なフィナーレだ。

エロス的愛はアガペー的愛に転化しなければいけない。いや、アガペー的愛に転化するのがエロス的愛ということだろう。

＊＊＊

神の処罰から愛の処罰へ。神の愛から愛の神へ。モリエール的無神論者ドン・ジュアンはいわば神の時代にあって異端者であったわけだが、神なき時代を先取りしていたともいえよう。量的美学・私的所有は近代市民社会・資本主義社会の大テーゼであるからだ。父殺し・神殺しを遂行したドン・ジュアンは罰せられなければならない。

では、神なき時代にあって、ドン・ジュアンはなんのために死ぬのか。死なねばいけないのか。彼は「愛」のために、「人として死のう」とする。しかし、理由がなんであれ（愛のためであれ、生きるためであれ）、死ぬことを宿命づけられている。なぜか。それはおそらく、すべてを自家薬籠中のものとして、自分のテリトリーに包摂しようとするからだ。

ドン・ジュアンは神をも怖れぬ不逞の輩だ。つまり、エゴイスティックなまでの徹底した個人主義者・合理主義者であるからこそ、果てまで、極限までいかざるを得ない。ミュージカル版のドン・ジュアンは、（所有し得ないはずの）愛も死も「所有」しようとする。マリアとの愛を得ても、やはり彼は神はもちろん、自分以外の誰にも文句を言われたくない、いや言わせないと切り捨てる。自分を超えるもの、非合理的なものを一切受けつけようとしない。（受動的）決闘から（能動的）決闘へと彼を駆り立てるものは変わらない。自分を超えるもの、非合理的なものに支配されるのが嫌なのだ。

その一方で、マリアを神として崇めようとする。それは神への愛ならぬ愛の神格化に等しい。おそらく両者——神への愛とマリアへの愛——の間には絶対に超え得ない溝がある。しかし、彼はそれに気づかない。たとえ最後にその誤ちに気づいたとしても、罪人である事実は消えない。みずからの死によって罪を贖わなければいけない。人を殺めるだけで殺められたことのない人間、愛されるだけで愛することのなかった人間、そういった人間は処罰されねばならない。殺められることの無念さを、愛することの苦しさを学ばねばならない。これまでと真逆のことをしなければいけない。要するに、他者を真に愛するためにみずからが殺されねばならない。他者ではなく、自分自身によって——。

一方的な恋愛をしてきたことの代償、他者を無視＝捨象してきたことの代償といっていいだろうか。このミュージカルは、ドン・ジュアンというひとりの男の姿を通して、自己中心的な生、個人主義・合理主義の限界を示唆する。しかしそれ以上にこの作品が教えるのは、神はおろか、愛もまた不在といわれる現代にあって、女性という水平軸と、神・死という垂直軸の交差からなるドン・ジュアン神話の原点に、いま一度立ち戻るということではなかったか。

［注］

（1）*Tirso de Molina, El burlador de Sevilla y convidado de piedra.* ティルソ・デ・モリーナ著、佐竹謙一訳『セビーリャの色事師と石の招客』岩波文庫、二〇一四年、七五頁。

（2）同上、三四二頁。鷲見洋一も水平方向に「女性」、垂直方向に「死」や「神」を配置し、主人公を「どこまでも虚ろで空しい『場所』ないし『機能』に仕立てあげた」点こそ、元祖ティルソの手柄と述べている。さらに、モリエールはその原型に大胆な改変をもたらしたが、一九世紀ロマン主義者によって骨抜きにされてしまった、と（「放蕩と処罰　ドン・ファン論」『三田文学』20、一九八九年）。

（3）モリエール著、鈴木力衛訳『モリエール全集』（1）、中央公論社、一九七三年、七九頁。

（4）同上、一四七頁。

（5）同上、一一三頁。

（6）同上、七五頁。

（7）水林章『ドン・ジュアンの埋葬――モリエール『ドン・ジュアン』における歴史と社会』（歴史フロンティア）、山川出版社、一九九六年、一八四頁。

（8）オペラ演出もいろいろだが、やはり石像とドン・ジョヴァンニの最後の対決場面が見物だ。カラヤンの指揮、ミヒャエル・ハンペ演出の一九八七年のザルツブルク音楽祭［ライヴ］では、惑星が浮かぶ宇宙空間のような青みがかったバックのもとに、巨大な白い石像が現れ、ドン・ジョヴァンニを威圧する。顔以外は不動で、ドン・ジョヴァンニは手を握られ、地獄に落ちていく。青、白、赤（ドン・ジョヴァンニの衣服）の対比もさることながら、背景の色が青から赤（血の色？）に変わっていくのも見事だ。

（9）小瀬村幸子訳、海老澤敏・髙崎保男協力『モーツァルト　ドン・ジョヴァンニ』（オペラ対訳ライブラリー）、音楽之友社、二〇〇二年、一六一～一六二頁。

（10）グラッベ著、小栗浩訳『ドン・ジュアンとファウスト』現代思潮社、一九六七年、一七三頁。

（11）同上、二〇九頁。

（12）アレクセイ・トルストイ著、柴田治三郎訳『ドン・ジュアン』岩波文庫、一九五一年、二三三頁。

（13）同上、二三六頁。

（14）同上、二四三頁。

（15）ホセ・ソリーリャ著、高橋正武訳『ドン・フアン・テノーリオ』岩波文庫、一九四九年、二三三頁。

（16）戯曲や小説では、マックス・フリッシュ『ドン・ファンあるいは幾何学への愛』（一九五三年）や、ペーター・ハントケ『ドン・フアン（本人が語る）』（二〇〇四年）など（伊藤秀一「ドン・ジュアンと誘惑の美学」『ドイツ文化』71参照）。映画もあまたあるが、ロジェ・ヴァディム監督、ブリジッド・バルドー主演の『ドン・ファン』（一九七三年）は、女性版ドン・ジュアンということができ、多くの男性たち、果ては司祭まで誘惑するものの、エルヴィラ的男性に怨まれ、最後は炎のなかで死んでいく。神の処罰ならぬ愛の処罰。いずれにせよ、ドン・ジュアン神話で変わらないのは、死の処罰ということだろうか。

（17）フェリックス・グレイ「ドン・ジュアンへの公開状」『ドン・ジュアン　パンフレット』。

（18）宝塚版には、娼婦に身を落としてもマグダラのマリアにはならない、というエルヴィラの台詞がある。

（19）〈愛だけが〉のなかに「常にあなたの囚人でいたい」という一節がある。

（20）宝塚版を踏まえ、さらに梅田版（二〇一九年。スタッフは宝塚版と同布陣）が制作された。宝塚版との違いは、①第一幕最後のマリアの石像破壊シーンが削除され、〈なにかが変わりはじめている〉（スペイン語翻案）が追加されたこと。②第二幕最後に、ラファエルにとどめを刺そうとするドン・ジュアンの前にマリアが立ちふさがるシーンが追加されたこと。マリアは「愛の呪いの第二の被害者」ではなく、聖母マリアのように「愛」のなんたるかを示唆する。ドン・ジュアンが亡霊とともに舞台奥に消えていくラストも変更点のひとつだ。

（21）『ドン＋ジュアン』（宝塚歌劇雪組）パンフレット。

［資料注］

（22）『魅惑のオペラ 11　モーツァルト：ドン・ジョヴァンニ』（小学館ＤＶＤＢＯＯＫ、小学館、二〇〇七年）チャプター参照。

■資料1　オペラ『ドン・ジョヴァンニ』ナンバー[22]

第1幕	
1	導入曲「夜も昼も」(レポレッロ L)
2	合奏伴奏付きレチタティーヴォと二重唱「ほっておいてください！」(ドンナ・アンア DA／ドン・オッターヴィオ DO)
3	アリア「ああ！ あのひどい人は」(ドンナ・エルヴィーラ DE)
4	アリア「カタログの歌」(L)
5	合唱「娘たちよ、恋をしましょう」(ツェルリーナ Z／マゼット M／村人たち)
6	アリア「わかりました、お殿さま」(M)
7	小二重唱「手をとりあって」(DJ／Z)
8	アリア「この場を逃げた方がいいわよ」(DE)
9	四重唱「この悪者の心を信じてはいけません」(DE／DA／DO／DJ)
10	合奏伴奏付きレチタティーヴォとアリア「これでもう分かったでしょう」(DA)
10a	アリア「彼女の心の安らぎが」(DO)
11	アリア「シャンパンの歌」(DJ)
12	アリア「ぶって、ぶってよ、愛しいマゼット」(Z)
13	フィナーレ「早く早く」(M／Z／DJ／DO／DA／L)

第2幕	
14	二重唱「いいかげんにしろ」(DJ／L)
15	三重唱「お黙り、わからず屋の私の心」(DE／DJ／L)
16	カンツォネッタ「窓辺に来ておくれ」(DJ)
17	アリア「君らはこっちに行け」(DJ)
18	アリア「薬屋の歌」(Z)
19	六重唱「独りでこんな暗がりにいると」(DE／L／DO／DA／Z／M)
20	アリア「ああ、お許しください皆さん」(L)
21	アリア「その間に私の恋人を」(DO)
21b	合奏伴奏付きレチタティーヴォとアリア「あの薄情な男は私を裏切り」(DE)
22	二重唱「偉大なる騎士長殿の」(L／DJ)
23	合奏伴奏付きレチタティーヴォとロンド「だから言わないでください」(DA)
24	フィナーレ「夕食の用意ができたようだな」(DJ／L／DE／騎士長)
25	「ああ！ あの悪者は」(DJ／L／DO／DE／Z／M)

■資料2　ケベック版『ドン・ジュアン』シーン（プログラム）

Acte1	
1	ドン・ジュアンが騎士団長と争う 自分の娘を誘惑しているところを取り押さえたあと、騎士団長はドン・ジュアンに決闘を挑む。騎士団長はドン・ジュアンを呪いながら、死ぬ。
2	偉大な男が死んだ 騎士団員は騎士団長に最後の休息をしかるべくもたらし、彼を記念して彫像を建立しようとする。
3	すべてを持っている男 ドン・カルロスはドン・ジュアンの隠された一面を歌い、友に対する自分の気持ちを表現する。
4	石の心 不安を感じたイザベルは、ドン・ジュアンに、彼が変わらなければどうなってしまうかを説明する。
5	我が名 ドン・ジュアンはみずから何者であるかあらわにする。 言っておくれ（レチタティーヴォ） ドン・カルロスはドン・ジュアンの妻エルヴィラに、彼の父ドン・ルイにドン・ジュアンのことを話すよう忠告する。
6	言ってください 狼狽したエルヴィラはドン・ルイを訪ね、自分と結婚し、裏切った彼の息子の行動を嘆く。 お前の父のメッセージ（レチタティーヴォ） ドン・カルロスはドン・ジュアンに、彼の父が会いたがっていると告げる。
7	ひと房の髪 ドン・ジュアンは哀れな乞食に、自分が切った髪の房に対し金貨一枚をあげながら、みずからの邪悪さをなおも示す。
8	わが息子 父ドン・ルイは息子ドン・ジュアンに語りかける。
9	悪の華 ドン・カルロスはドン・ジュアンに危険な恋の遊びを終わらせるよう請い願う。ドン・ジュアンはまたもや聞く耳をもたない。
10	快楽 快楽、ドン・ジュアンの生きる理由。彼がバーに入ると、誘惑のゲームが始まる。

11	生きる 強烈な色に溢れたスペインバーの熱い雰囲気。ダンスのステップと激しいリズムが入り交じる。
12	アンダルシアの美女 ドン・ジュアンの目は美しいアンダルシアの美女に向けられる。彼女は、ジプシーのチコのフィアンセだ。
13	恥ずかしくないの エルヴィラがバーに乱入する。
14	女たち ドン・カルロスは女性賛歌でエルヴィラを慰める。
15	まだいて イザベルはドン・ジュアンに彼が誘惑した女と一度だけ一緒にいるように忠告する。彼女の予感ははっきりするが、ドン・ジュアンはまたも自分の言葉しか信じない。
16	愛がやってくるとき 分別をもって、ドン・カルロスはドン・ジュアンに愛がやってくるかもしれないと説明する。しかし、ドン・ジュアンは愛を信じない。 騎士団長の彫像（レチタティーヴォ） はじめてマリアが登場する。彼女は芸術家であり、自分のアトリエで、彼女の呪いとドン・ジュアンの呪いであるだろうもの、つまり騎士団長の彫像に手を加えている。
17	石の彫像 マリアは騎士団長の像を彫っている。彼女の手のもとで、命を得るだろう。
18	愛すること マリアの作品の呪いは具現化され、彼女とドン・ジュアンの間に超自然的な青天の霹靂（ひと目惚れ）が引き起こされる。
19	兵士たちの血 マリアのフィアンセ、ラファエルは彼女に戦争（戦場から）の手紙を書く。

Acte2	
1	セビリアの恋人たち ドン・カルロスとイザベルはいま、ドン・ジュアンとマリアを結びつける愛を歌う。
2	変わる ドン・ジュアンとマリアの変身。
3	誰 ジプシーのチコとエルヴィラは彼らの憎しみを歌う。
4	彼のことを想う マリアにはもう、たったひとつの想いしかない、ドン・ジュアンへの想いしか。

5	愛する二人 エルヴィラとマリアは同じ男への愛をそれぞれのやり方で歌う。
6	復讐して 自分の感情にしか耳を傾けないエルヴィラは、戦争から戻ったラファエルにマリアの不貞を告発する。
7	愛だけが エルヴィラとラファエルの絶望の対極にある、ドン・ジュアンとマリアの幸福。
8	マリア 不幸で傷ついたラファエルはドン・ジュアンを殺そうとする。 マリア　黒いチュールを前にしたコレグラフィー
9	嫉妬 ラファエルに話しかけるマリアを見て、ドン・ジュアンは愛のあとの第二の感情を発見する。それはそれまでの彼には未知のもの、嫉妬。 明日の夜明けに（レチタティーヴォ） ドン・ジュアンとラファエルの決闘が告げられる。
10	なぜ戦う イザベルとラファエルは男たちを死と戯れさせる狂気を歌う。
11	誰にも憐れみはない ドン・カルロスとドン・ルイは、ドン・ジュアンにこの決闘をやめるよう説得するが無駄である。ドン・ジュアンにとってそれは問題にならない。
12	天使たち マリア、エルヴィラ、イザベルは一緒にドン・ジュアンとラファエルのために祈る。
13	悪魔の子 無力なドン・ルイとエルヴィラは、ドン・ジュアンに悪魔の子を見てとる。
14	独り（孤独） 決闘に先立つ時間、銘々によって抱かれる孤独。
15	悲しみのアンダルシア 避けられないものを前にしたジプシーの悲嘆。
16	夜明けの決闘 ドン・ジュアンとラファエルは対峙する、名誉が死の遊戯のなかで愛に直面する。
17	愛のために死す ドン・ジュアンの贖罪。
18	ドン・ジュアンが死んだ 騎士団長の呪いの終わり。 ファイナル

■資料3　ケベック版『ドン・ジュアン』ナンバー(プログラム)

Acte1	
1	Don Juan se bat avec le Commandeur (Prologue et ouverture) ドン・ジュアンが騎士団長と闘う(プロローグと開幕)
2	Un grand homme est mort 偉大な男が死んだ(合唱)
3	Soit maudit Don Juan ドン・ジュアンに呪いあれ(騎士団長=亡霊台詞)
4	L'Homme qui a tout すべてを持っている男(ドン・カルロス)
5	Cœur de pierre 石の心(イザベル)
6	Mon nom わが名(ドン・ジュアン)
7	Dis-lui 言っておくれ(ドン・カルロス)　エルヴィラに歌う
8	Dites-lui 言ってください(エルヴィラ)　ドン・ジュアンの父に歌う
9	Une mèche de cheveux (retiré du spectacle) ひと房の髪(削除)
10	Un message de ton père 君の父からの伝言(ドン・カルロス、ドン・ジュアン)
11	L'Apparition du Commandeur 騎士団長の出現(亡霊台詞、ドン・ジュアン)
12	Mon fils わが息子(ドン・ルイ)
13	Les Fleurs du mal 悪の華(ドン・カルロス、ドン・ジュアンの二重唱)
14	Du plaisir 快楽(ドン・ジュアン)　舞台奥で生演奏
15	Vivir 生きる(スペイン語)(ジタン)　ダンスの魅せ場
16	Belle Andalouse アンダルシアの美女(ドン・ジュアン)　ダンサーと踊りながら
17	N'as-tu pas honte ? 恥ずかしくないの?(エルヴィラ)
18	Les Femmes 女たち(ドン・カルロス)　女たちの踊り
19	Reste encore まだいて(イザベル、ドン・ジュアン、ドン・カルロスの三重唱)
20	L'amour quand il vient 愛がやってくるとき(ドン・カルロス、ドン・ジュアン)
21	Ne la reconnais-tu pas ? 知らないのか? La Statue du Commandeur 騎士団長の彫像(ドン・カルロス)
22	Tu es encore là ! まだいるのか! La Statue du Commandeur 騎士団長の彫像(ドン・ジュアン、亡霊台詞)
23	Statue de pierre 石像(マリア)
24	Aimer 愛する(ドン・ジュアン、マリア)　アクロバット(宙を舞う天使?)
25	Le Sang des soldats 兵士の血(ラファエル)

Acte 2	
1	Séville au matin (Ouverture) セビリアの朝（開幕）（ドン・カルロス、イザベル）
2	Les Amoureux de Séville セビリアの恋人たち（ドン・カルロス、イザベル）
3	Changer 変わる（マリア、ドン・ジュアンの二重唱＋合唱）
4	Qui ? 誰？（ジタン、エルヴィラ）
5	Je pense à lui 彼のことを思う（マリア）
6	Deux à aimer 愛する二人（エルヴィラ、マリアの二重唱）
7	L'amour est plus fort (remplace Deux à aimer, version 2012 ; absente de la version 2013) 愛はもっと強い（2012 年の〈愛する二人〉の代わり。ただし 2013 年には削除）
8	Venge-nous 復讐して（エルヴィラ、ラファエル）
9	Seulement l'amour (rappels 2013) 愛だけが（2013 年追加） （ドン・ジュアン、マリアの二重唱）
10	Maria　マリア（ラファエル）
11	Je le tuerai pour ça (danse) あいつを殺す（ダンス）　6 人の男たちのダンス
12	Jalousie 嫉妬（ドン・ジュアン）
13	Demain à l'aube 明日の夜明けに（ドン・ジュアン、ラファエル、マリア）
14	Pourquoi le bruit ? なぜ戦う？（イザベル、ラファエルの二重唱）
15	Pitié pour personne 誰にも憐れみはない （ドン・カルロス、ドン・ジュアン、ドン・ルイ＋合唱［マリア、エルヴィラ、イザベル］）
16	Les Anges 天使たち（マリア、エルヴィラ、イザベルの三重唱）　ドン・ルイ祈る
17	L'Enfant du diable 悪魔の子（ドン・ルイ、エルヴィラの二重唱）
18	Seul 独り（ドン・ルイ、エルヴィラ、ラファエル、ドン・カルロス、イザベル、ドン・ジュアン、マリア＋7人の合唱）　舞台廻る
19	Tristesa Andalucia 悲しみのアンダルシア（スペイン語）（ジタン＋合唱） カスタネットを使った踊り
20	Duel à l'aube 夜明けの決闘（ラファエル、ドン・ジュアン＋合唱） 舞台奥から舞台中央へ
21	Je meurs d'amour 愛のために死す（ドン・ジュアン）　カーテン後ろにマリア
22	Don Juan est mort ドン・ジュアンが死んだ（ドン・ルイ、イザベル、ドン・カルロス、マリア＋合唱）
23	Les Amoureux de Séville (saluts) セビリアの恋人たち（合唱）
24	Changer (rappels 2004) 変わる（2004 年追加）
25	Nous, on veut de l'amour (Rappels 2012) われわれは愛を望む（2012 年追加）

■資料4　宝塚歌劇雪組『ドン・ジュアン』ナンバー（DVDライナーノーツ）

第一幕	
1	全てを手にした男 L'homme qui a tout（ドン・カルロ）
2	偉大な男の死 Un grand home est mort
3	偉大な男の死リプライズ
4	石のような冷たい心 Cœur de piere（イザベル、エルヴィラ＋合唱）
5	俺の名は Mon nom（ドン・ジュアン）
6	兵士たちの出発 恋人との別れ Une mèche de cheveux（ラファエル＋仲間）
7	お聞きください Dis-lui（ドン・カルロ）
8	伝えてください Dites-lui（エルヴィラ）
9	君の父上からの伝言 Un message de ton père（ドン・カルロ）
10	息子よ Mon fils（ドン・ルイ）
11	亡霊の登場 L'Apparition du Commandeur
12	悪の華 Les Fleurs du mal（ドン・カルロ、ドン・ジュアン）
13	快楽 Du plaisir（ドン・ジュアン、イザベル）
14	アンダルシアの美女 Belle Andalouse（ドン・ジュアン＋合唱）
15	望むならば N'as-tu pas honte ?（エルヴィラ）
16	女がわからない Les Femmes（ドン・カルロ）
17	行かないで Reste encore（イザベル、ドン・カルロ）
18	愛を知る時 L'amour quand il vient（亡霊、ドン・ジュアン）
19	騎士団長の像 La Statue du Commandeur（ドン・ジュアン）
20	石の像 エメ Statue de pierre　Aimer（マリア／ドン・ジュアン）
11	兵士の血 Le Sang des soldats（ラファエル＋仲間）
12	彫像の除幕式 Un grand home est mort ～ Statue de pierre（合唱）

第二幕	
1	セビリアの恋人たち Les Amoureux de Séville（ドン・カルロ、イザベル）
2	変わる Changer（ドン・ジュアン、マリアの二重唱）
3	呪い Qui（亡霊＋合唱）
4	ドン・ルイとエルヴィラの諍い N'as-tu pas honte ? ～ Un message de ton père（エルヴィラ、ドン・カルロ、ドン・ルイ）
5	恨みを晴らして Venge-nous（エルヴィラ、ラファエル、亡霊）

6	彼を愛している Je pense à lui（マリア）
7	愛だけが Seulement l'amour（ドン・ジュアン、マリア）
8	マリア Maria（ラファエル）
9	明日の夜明けに Demain à l'aube（ドン・ジュアン、ラファエル、マリア）
10	嫉妬 Jalousie（ドン・ジュアン）
11	人は何故 Pourquoi le bruit（イザベル＋女たち）
12	誰に対しても情はない Pitié pour personne（ドン・カルロ、ドン・ジュアン、ドン・ルイ、亡霊）
13	一人 Seul（ドン・ルイ、エルヴィラ）
14	一人 Seul（ドン・カルロ、イザベル、ラファエル、ドン・ジュアン、マリア＋7重唱）
15	夜明けの決闘 Duel à l'aube（ラファエル、ドン・ジュアン＋合唱）
16	愛のために俺は死ぬ Je meurs d'amour（ドン・ジュアン）
17	ドン・ジュアンの死 Don Juan est mort （ドン・ルイ、イザベル、ドン・カルロ、マリア＋合唱）
18	悪の華～変わる Les Fleurs du mal ～ Je change（全員）

第4章

カルメン

「自由」とはなにか

なぜカルメンか。カルメンのなにが私たちを魅了するのか。

メリメの小説『カルメン』は、ことさらジプシー女であることを強調することによって、エグゾティスム（異国趣味）もしくはオリエンタリズムの所産であることを示唆するが、オペラ『カルメン』は、オペラ的制約のなかで、むしろ母性の対極に位置するFemme fatale（宿命の女）――「自由を希求する女」――としてのカルメン像を確立したということができよう。では、宝塚版『激情――ホセとカルメン』は、いかなるカルメン像の展開となり得ているのだろうか。

原作、オペラに関する著作・論文は多い。ここでは、それらを踏まえつつ、ジャンルの制約がむしろ新たな読解可能性を切り開くという観点から『カルメン』をとりあげ、小説からオペラ、さらには映画を経て、ミュージカルに至る深化の跡を探ることにしよう。

メリメ『カルメン Carmen』

【あらすじ】

アンダルシア地方を調査旅行する考古学者である「私」が、たまたまかの地で知りあったアルマンサ騎兵連隊の伍長のバスク人ドン・ホセから、彼とジプシー女カルメンとの愛憎劇を聞き、それを記録するという体裁をとっている。原作は四章からなり、一章「考古学者の『私』(語り手)とホセの出会い」、二章「語り手とカルメンとの出会い」、三章「ホセの回想」、四章「ジプシー考」と要約することができよう(一八四五年に一〜三章までが『両世界評論』に発表され、四章は二年後、単行本化する際に付け加えられた)。

一章では、アンダルシア地方を調査旅行中、考古学者の「私」(語り手)はアンダルシアで評判の盗賊ドン・ホセと出くわすが、ガイドの密告で逮捕される前に逃がしてやるまでが描かれる。

二章は、コルドバ帯在中、「私」は水浴びをしていたジプシー女カルメンシータと会うが、偶然そこでホセとも再会する。ホセは「私」に、パンプロナのある女性に小さな銀のメダルを渡してほしいと依頼する。

三章はホセから聞いた話で構成される。彼はバスク人で先祖代々のキリスト教徒であり、セビリアのタバコ工場の番兵を任され、そこでカルメンに出会ったという。女工と傷害事件を起こしたカルメンを護送中、まんまと逃げられてしまい、ホセは禁錮処分。しかし、「悪魔のような女」「魔女」

カルメンはホセを捉えて離さず、彼はまたたくまに恋に落ちてしまう。ところが、嫉妬で中尉を殺めてしまい、密輸業者、さらには追いはぎに転落。しかも、カルメンには片目のガルシアという亭主がいた。ホセはその男まで殺してしまう。カルメンははっきりと言う、「あたしはいじめられたくないし、ましてや命令なんかされたくない。あたしの望んでいるのは、自由であること、自分の好きなようにすること」[1]と。新しい恋人、闘牛士のルカスも闘牛場で負傷。ホセはカルメンに、なにもかも水に流しアメリカに行こう、生活を変えようと提案する。「死ぬならついてくわ。でもあなたとはもう一緒に生きたくない」。「俺を破滅させたのはお前なんだ。お前の命を助けさせてくれ！そしてお前と一緒に俺の命も助けてくれ[2]」と懇願するホセに対し、カルメンはこう答える。「あんたにまだなんとか嘘をつくことはできるわ。でも、もうそんな面倒臭いことがいやになったの。あたしのロムとして、あんたはあんたのロミを殺す権利はあるわ。でも、カルメンは永遠に自由よ。ジプシーとして生まれたカルメンは、ジプシーとして死ぬわ（…）いまじゃもう愛してるものなんかないわ。そしてあんたに惚れた自分を憎んでいるわ[3]」。所詮、犬と狼ということだろうか。ホセは最後に叫ぶ。「かわいそうな女でした！　ジプシーたちが、彼女をあんな女に育てた責任がある[4]」と。

四章では三章の最後を受けて、流浪の民ジプシーの実態について、生業や肉体的特徴、美徳、宗教的無関心、起源、言語などについて述べられている。

1. 概略

『カルメン』はなによりもオペラとして有名だが、原作はプロスペル・メリメの中篇小説『カルメン Carmen』（一八四七年）である。

オペラは、原作の三章のみを大幅に引き延ばしたということができるが、原作は話者（であるメリメ？）がホセの身の上話を聞くという構造をとっており、カルメンはあくまで間接的に語られているにすぎない。その意味で、読者はカルメンの直接的な心情を知ることはできず、彼女はあくまで（ホセの目を通して想像され得る）虚焦点のような女性ということができよう。話者も一度彼女に直接出会っているが、「彼女の眼はとりわけ、私がその後どんな人間の眼にも出会ったことのないような官能的で凶暴な表情を湛えていた(5)」と評しているにすぎない。

したがって、カルメンを語るとき必ず引きあいに出される、男を翻弄し、破滅させる「Femme fatale 宿命の女＝破滅を招く女(6)」というイメージ自体、男目線の産物以外のなにものでもなく、この小説の語りの構造からしても、そのことはあきらかであろう。事実、「悪魔のような女＝魔性の女 diable de fille-là」「魔女 sorcière」と叫ぶのはホセであり、カルメンその人ではない。いや正確にはカルメンもまた、一度だけみずからを「悪魔」と自称するが、その内実がつまびらかにされることはない。

それ以上にここで忘れてはいけないことは、ホセとカルメンが、片やバスク人、片やジプシー（ただし正確にはわからない）として、つまり「ヨーロッパの外部」（工藤庸子）として登場していることだ。バスクは、フランスとスペインの両方にまたがり、起源不明の古い言語であるバスク語を話す「バスク人」からなる「もうひとつのスペイン」であり、スペインからの分離・独立を求める民族運動で知られる。ちなみに、はじめて日本にキリスト教を布教したフランシスコ・ザビエルの生地でもある。他方、フランスで「ボヘミアン」と呼ばれるジプシーは、起源不詳の謎の民であり、ヴィクトル・ユゴーの小説『ノートル＝ダム・ド・パリ』に登場するエスメラルダ（実は、ジプシー娘たちにさらわれた娼婦の娘なのだが）が有名であろう。いわば、「バスクは屹立する謎であり、ジプシーは、どこまで遡っても起源の見えぬ底なしの穴、穿たれた謎[7]」と言うことができ、ホセとカルメンは、典型的な定住民と放浪民との一対として描かれていることは間違いない。話者の眼に、ふたりが「ヨーロッパの外部」、いやすくなくとも「もうひとつのヨーロッパ」として映じていることはたしかであり、ここに、フランスを起点として、スペイン→バスク→ジプシーという脱中心化の動きが見られることは否定できない。加えて、翻訳不可能な語彙および事象が原語のまま登場していることも、この小説の特筆すべき点だろう。そしてそれを補足する翻訳や注釈の多さも。エグゾティックな装飾といってしまえばそれまでだが、原語をそのまま残すことによって、翻訳不可能・了解不可能な他者性が刻印されていることはあきらかだ[8]。

2. カーリとしてのカルメン

たとえば、有名な「カルメンは永遠に自由よ。カーリとして生まれたカルメンは、カーリとして死ぬわ Carmen est toujours libre. Calli elle est née, calli elle mourra」という言葉。オペラでは端的に「自由に生き、自由に死ぬのよ Libre elle est née, libre elle mourra」となっているが、Calli と Bohémienne の微妙な、しかし決定的な違いに想いを馳せる必要がある。彼女の言う自由とは、カーリとしての自由であること。Calli を離れて、カルメンの生（および死）はあり得ない。かくして、四章「ジプシー考」は文字通り、三章最後の「Calés たちが、彼女をあんな女に育てた責任がある」というホセの言葉を受け、後日付け加えられたものということができる。とはいえ、ことの真偽はともかく、「ジプシー考」に真新しい考察はなく、カーリを囲いこみ、封じこめようとする、すくなくともカルメンを「ジプシーの女 Bohémienne」（という了解可能なもの）として包摂しようとする話者の防御姿勢だけが浮き彫りにされる。

このことと、「ファム・ファタル」はどのようにリンクするのだろうか。一九世紀後半に顕著となった、マノン・レスコー、カルメン、サロメなどに代表される「ファム・ファタル」の悪女イメージがエグゾティスムのなせる業である（だろう）ことは容易に理解されるが、それは異国趣味の所産である以上に、異国趣味の（対象ならぬ）主体の欲望をあらわにしているのではないだろうか。ヨーロッパの異国趣味は、時間的外部と空間的外部、すなわち「過去」と「異国」に向けて無限大に引き延ばされたということができるが、女性という存在もまた、異なる国・異なる民ならぬ「異なる性」、主体の「外部」にほかならない。外部への想いが強くなればなるほど、「外なる他者」である異国の女性への憧憬もまた増幅されることは必定だろう。とはいえ、「外なる他者」は容易に「内なる他者」に反転する。脅威であると同時に魅惑してやまない他者、憧憬と嫌悪・侮蔑というアンビヴァレントな図式そのものが、エグゾティスム、いやオリエンタリズム以外のなにものでもなく、「ファム・ファタル」幻想が、裏返されたオリエンタリズムであることを否定することは何人もできないだろう。というのも、一九世紀前半以降、わけても一八五一年に始まる万国博覧会を介し、多くの人々を魅了することになる異国趣味ブームが、西洋列強の植民地活動によってもたらされたものである以上、異国趣味と、サイードの言うオリエンタリズムが表裏一体であることはいわずもがなであるからだ。

こうしてメリメは、「オリエンタリスト」「男性優位主義者(9)」としてカルメンを「ジプシー女」として囲いこむ一方、「悪魔」として封印しようとする。しかしそれは、「内なる他者」、しかも和解不可能な他者として彼女が生き続けることを意味する。なぜなら、「私」はホセの回想（「不思議な野趣に満ちた美人」「官能的で同時に凶暴な表情」「ジプシー女の眼。狼の眼」）を記すだけで、カルメンその人に対してほとんどコメントしていないからだ。そのかぎりにおいて、カルメンは「男が恐れつつ憧れる女の他者性が投影される場所(10)」として、メリメを、そしてわれわれを魅惑し続けるだろう。

「『ヨーロッパの過去』と『ヨーロッパの外部』という二方向の関係性のなかで、『ヨーロッパの現在』が描出されてゆく」と言う工藤庸子の指摘通り(11)、「ジプシー女」カルメンが「内なる他者」として神秘化されていったことがここでは重要だ。

ところで、メリメが異国・異郷を舞台にした作品を多く残した（『イールのヴィーナス』〈一八三七年〉、『コロンバ』〈一八四一年〉、『カルメン』等）ように、作曲家ビゼーの作品もまた、ほとんどが異国を舞台にしたそれだ。たとえば、『真珠採り』（一八六三年）はセイロン、『美しきペルトの娘』（一八六七年）はスコットランド、『ジャミレー』（一八七二年）はカイロ、『アルルの女』（一八七二年）は南仏プロヴァンス、といった具合だ。そのかぎりで、ビゼーの『カルメン』もまた、オリエンタリズムの所産といえるが、「ジプシー女」として以上に、「ファム・ファタル」としてのカルメン像を定着させることになったのはなぜだろう。つぎに、そのあたりの経緯を見ていくことにしよう。

ビゼー『カルメン Carmen』

1．概略

ジョルジュ・ビゼーは一八七五年に『カルメン』を発表するが、初演は不評であった。台本はリュドヴィック・アレヴィとアンリ・メイヤック。ふたりは、オッフェンバックのオペレッタ『ジェロルスタン女大公殿下』や『ラ・ペリコール』の台本を書いた人気作家コンビである。さらにアレヴィは、ビゼーの師フロマンタル・アレヴィの甥で、ビゼーが師の娘と結婚したため、従兄弟関係にあった。初演が失敗したのは、上演されたオペラ・コミック座が、元来家族向けの劇場であり、かつ旋律が新しく、物語――セクシー・ウーマンの登場や殺人事件――も過激すぎたからといわれる。曰く「不道徳」「不適切」。拍手があったのはほんの数曲で、あとは完全に沈黙＝無視だったらしい。ビゼーはその三ヶ月後に死亡。現在の隆盛を知ったら、彼の驚きはいかばかりであろうか。

ビゼーは、オペラ・コミック座の依頼ということもあり、歌の間に語りの台詞が入った、いわゆる「オペラ・コミック」スタイルで作曲したが、ビゼーの友人の作曲家エルネスト・ギローは、会話の部分をすべてレチタティーヴォ（叙唱）に差し替え、元来パリ・オペラ座で上演されるオペラの謂いである「グランド・オペラ」に書き換えた。ちなみに、ギローは一八八〇年にオッフェンバックが没したあと、『ホフマン物語』を編曲・完成させたことでも有名である。ビゼー自身、亡くなる一ヶ月前、書き直すことを承諾しているが、これによって、いきいきとしたリズム、軽快なテンポのオペラ・コミックから、朗読調の荘重なグランド・オペラへと転換されたことは否めない。この形式がウィーン始め、各地で人気を博し、一八八三年、パリ・オペラ座で凱旋公演するに至ったことはよく知られているが、現在ではオペラ・コミック版とグランド・オペラ版のいずれも存在し、どちらも上演されている。[12] かくして『カルメン』は、グランド・オペラとオペラ・コミック（この場合、オペラ・リリック）の境界を事実上消失させる記念碑的作品となった。換言するなら、グランド・オペラでも、軽歌劇という意味でのオペラ・コミック＝オペラ・ブッファでもない、要するにマイアベーアでもオッフェンバックでもない、新しいタイプのオペラ。ハイカルでもサブカルでもない、しかしながら音楽的にもドラマとしても充分堪能できる芸術的娯楽＝娯楽的芸術だった。オッフェンバックのオペレッタ（社会諷刺を特徴とするオペラ・ブッファ）が第二帝政特有の音楽であったとすれば、『カルメン』は、まさに「パリ・コミューンの娘[13]」であり、「最初の写実主義民衆オペラ[14]」の誕生とみなされる。

オペラは全四幕からなり、原作と違い、終始セビリアが舞台となっている。

第一幕「セビリアのある広場」。タバコ工場で働くジプシー女カルメンは、けんか騒ぎを起こし牢に送られるが、護送を命じられた伍長ホセを誘惑し、まんまと逃げ出す。

第二幕「リーリャス・パスティーアの居酒屋」。カルメンのいる居酒屋で上司と諍いを起こしたホセは、密輸集団であるジプシーの一派に入ることになる。

第三幕「岩山」。密輸の見張役をしているホセのもとに婚約者のミカエラがやってくる。一方、カルメンを訪ねてきた闘牛士エスカミーリョと決闘になるが、母の危篤を聞き、ミカエラとともに故郷に帰ることになる。

第四幕「闘牛場の前の広場」。いまはエスカミーリョの恋人になっているカルメンの前にホセが現れる。結婚を迫るホセをカルメンは頑として拒否し、彼からもらった指輪を投げ捨てる。逆上したホセはカルメンを刺し殺す。

2. ファム・ファタルを主役に

原作との大きな変更点は、カルメンの情夫である片目の男ガルシアは登場せず、カルメンを独身女性としたこと、そして小説では回想されるだけで名前も与えられていない娘を婚約者ミカエラとして登場させ、闘牛士ルカスを、ガルシアに代わるホセの恋敵エスカミーリョとして配したことがあげられる（ただしエスカミーリョは原作と違って負傷せず、むしろ勝どきをあげる）。カルメンがホセを誘惑する黄色のカシアの花（花言葉「輝かしい未来」）が赤いバラ（「情熱の恋」）になったことも重要だ。カルメンは、「恋多き自由な女」として形象化されている。殺害現場も、山中の洞窟から闘牛場前の広場に変更された。

一八七四年の夏に一応作曲は完成したものの、劇場側からの反対でミカエラ（ソプラノ）を付け加えざるを得なかったことはよく知られているし、初演で拍手が起こったのは、ホセでもカルメンでもなく、ミカエラとエスカミーリョのアリアだけだったといわれる。通常、オペラの役柄は音域や声の質によって決まるとされ、主役となる恋する男／女はたいていの場合テノールとソプラノ、悪役／悪女はバリトンとメゾ・ソプラノによって歌われることが多い。が、本作ではメゾ・ソプラノのカルメンが主役だ。もちろん、カルメンのパートをソプラノ歌手が歌うことも可能だが、ここでは文字通り「ファム・ファタル」が主役であることが重要である。ホセとミカエラの母子のような、兄妹のような家族的紐帯を徹底的に分断し、逸脱させるカルメンの圧倒的な呪縛が。それは、ソプラノではない、メゾ・ソプラノの音域・声質によってはじめて可能になるだろう。さらに、音楽的にも、片や、カルメンが歌う「ハバネラ」「セギディーリャ」「ジプシーの歌」「カルタの歌」といった音楽はいわばスペイン調、片や、ホセやミカエラが歌うアリアはフランス調であり、「ふたつの、

オペラ『カルメン』（小澤征爾音楽塾オペラ・プロジェクトXV、2017年）。カルメン役のサンドラ・ピクス・エディ。　©大窪道治 /2017Seiji Ozawa Music Academy

それぞれ性格の違う音楽が、あたかも互いにあいいれられない部分を多くもつふたつの世界を代弁するかのように、混在している」のが特徴であると黒田恭一は言う。カルメンによって歌われる非フランス・オペラ的な音楽が観客を圧倒し、ついにはホセを被害者とし、カルメンを加害者とするような一般的な考え方は反転するに至るだろう、と黒田は指摘する。(15) いや厳密には、スペイン音楽からの取材はほとんどなく、フランス人のイメージする「スペイン風音楽」を創造したというべきなのだろうが。

3. デラシネ

ともあれ、この非フランス的なフランス・オペラの新たな試みは、サン＝サーンスの『サムソンとデリラ』同様、従来のプリマ・ドンナ（主役）／セコンダ・ドンナ（準主役）のヒエラルキーを大きく転倒させた。それ以上に重要なことは、ホセを軸にしてミカエラ（ソプラノ）とカルメン（メゾ・ソプラノ）、カルメンを軸にしてホセ（テノール）とエスカミーリョ（バリトン）ががっぷり四つに組むことによって、それぞれが、対比・対照的な女性／男性イメージとしてより緊密に機能しあい、象徴へと達していることだ。カルメンは、母性そのものともいえるミカエラと対比されることによって、より一層、なにものにも縛られない「ファム・ファタル」としての地位を獲得したといっていいし、原作では闘牛の犠牲者となるエスカミーリョが、オペラでは勝利者として君臨し、ホセの恋敵としてクローズアップされることによって、ますますホセのマザコンぶりが強調される。とはいえ、間違えてはいけないのは、オペラのカルメンは、（原作のような）悪女ではないということだ。ミカエラとカルメンの関係は、一見、聖母マリア（聖女）とマグダラのマリア（娼婦）というステレオタイプに還元されるかに見えて、実はそれとは似て非なる存在となり得ている点がオペラ『カルメン』の斬新さだ(16)。第二幕の最後に、カルメンがホセに向かって歌うつぎの一節は、その端的な証しだろう。

すてきですもの、さすらいの暮らし！ la vie errante
世界をねぐらに　気ままに生きる。 Pour pays l'univers, pour loi ta volonté
そして、なによりすばらしいのは
自由よ！　自由なのよ！ La liberté! la liberté!(17)

ホセ／ミカエラがバスクをねぐらにして規律正しく生きる人間であるとすれば、カルメン／エスカミーリョは、世界をねぐらにして自分の意志だけで生きる人間にほかならない。カルメンがホセと自分を「犬と狼」と言うのは、その意味だろう。世界をねぐら＝故郷 pays にするとは、いわゆる故郷を遠く離れて生きる、故郷喪失者の謂いだろう。そこにルーツである母はいない。母との紐帯を断ち切って生きるデラシネ（文字通り、根なし草）としての生こそ、彼らの「自由」にほかならない。血縁であれ地縁であれ、なにものにも縛られないこと。いうならば、余所者、除け者としての「ジプシー」ではなく、放浪者、越境者としての〈ジプシー〉宣言だ。

そのかぎりで、第三幕最後で、カルメンのもとを決して離れないと息巻いていたホセが、母が危篤と聞くと即座に前言を撤回し、故郷にそそくさと帰るのは象徴的だし――脱走兵、無法者へと身を落としてもなお、ホセには帰るべき場所がある――、第四幕の最後で、カルメンがホセからもらった指輪を投げつけ、彼の願いを決定的に拒否するラストシーンは圧巻だ。妻になること、ひいては母になることへの断固たる拒否といったらいいだろうか。指輪は、いうまでもなく婚姻＝束縛の象徴であるからだ。ちなみに、原作にホセの母親は登場しない。

「母性」の対極に位置するカルメンこそ、まさに「ファム・ファタル」そのものといえよう。(18) 彼女は単なるあばずれ、性悪女ではない。すくなくとも、オペラのカルメンは、母になることを拒否する人間がたどりつくであろう場所を知悉している。彼女は、殺されることをわかっていながら、あえてホセから逃げようとしないのだから――。

映画版

1．概要

すでに一九一〇年代に、セシル・B・デミル、チャップリン、ルビッチがそれぞれ『カルメン』を撮っているが、戦前・戦後を通してカルメンは、文字通り銀幕のスターであった。木下恵介の『カルメン故郷に帰る』（一九五一年）や鈴木清順の『河内カルメン』（一九六六年）など、カルメンを冠した邦画も多い[19]。

そんなカルメン映画のなかで、ミュージカル映画として有名なのが、オットー・プレミンジャー監督の『カルメン・ジョーンズ Carmen Jones』（一九五四年）だ。オスカー・ハマースタイン二世の同名ミュージカルを映画化したもので、出演者がすべて黒人という異色作品。第二次世界対戦中のアメリカ南部に舞台を移し、カルメンはパラシュート工場で働くカルメン・ジョーンズ、ホセは陸軍伍長ジョー、エスカミーリョはハスキー・ミラーというボクサーに翻案されている（オペラにおける闘牛シーンはボクシングの試合に）。音楽はジャズアレンジされたビゼー。全員黒人だけに、かえって登場人物間の距離が近くなり、単純？　な男女関係のもつれに堕しているように見えるのは、筆者だけだろうか。

2. 映像ならではのカルメンたち

近年では、カルロス・サウラ監督のフラメンコ映画『カルメン』（一九八三年）とフランチェスコ・ロージー脚色・監督のオペラ映画『カルメン』（一九八四年）が異彩を放っている。ちなみに、両作品の振付担当は、フラメンコ・ダンサーでもあるアントニオ・ガデスその人だ。彼はサウラ監督の『カルメン』でホセ役を演じている。

前者は、フラメンコ・バレエ「カルメン」を劇中劇とし、その制作過程のなかで、ホセ役とカルメン役が実際に恋に落ち、破滅に至るという結末。ホセが恋に落ちた瞬間から、現実と虚構が入り混じり、いわば虚実皮膜の世界と化すが、最終的に、どこからどこまでが現実で、どこからどこまでが虚構＝幻覚なのか、観客は宙吊りにされたままだ。映像の摩訶不思議さは、それが現実の再現なのか、はたまた過去の記憶なのか、まったくの白日夢なのか、判断がつかないということ。ホセ役がホセそのものになっていくと同時に、カルメン役もまたカルメンそのものになっていく。この場合、劇中劇でカルメンを演じる女性は本名もカルメンという設定だから、現実のカルメンと虚構のカルメンが交錯する二重のカルメン劇といえよう。現実／虚構の境界は不分明なままだ。それこそ、恋心＝嫉妬のなせる業といえるかもしれないが、映画ほど、現実／虚構の転倒もしくはその溶解を見せつけるメディアはない。

後者は、単なるオペラの舞台化＝映像化を超えて、映画そのものの可能性を目指した作品ということができる。いかに映像と音楽を調和させるかがこの種の音楽映画のポイントだが、そこにさほど不自然さを感じさせないのはなぜだろう。たとえば全篇歌からなる『シェルブールの雨傘』と違って、台詞がないわけではない。しかし、『シェルブール』同様、全曲録音された楽曲をもとに画面が作られているからだろうか、音楽＝映像の稀有な一致が見られる。オペラをほぼ忠実に再現しているが、映画の冒頭から映し出されるのは闘牛の場面。わけても、最後の殺人の場面は象徴的だ。広い闘牛場の闘牛士と闘牛の関係そのままに、ホセとカルメンは遠くから向きあい、徐々に距離をつめていく。広場だというのに、人っこひとりいない。さながら、闘牛場で相対峙するふたりのようだ。ホセが闘牛士なのか、はたまた闘牛なのか。加害者なのか、被害者なのか。闘牛士の持つ朱い布（ムレータ）とカルメンのスカートの朱がひどく印象的であるだけに、カルメンめがけて突進するホセは、もはや制御不可能な野獣といっていい。実は、牛は色を識別できないため、赤で興奮するのは牛ではなく、闘牛士のほうといわれるのだが。

そのほかの興味深い作品は、マリア・カラスを題材にしたフランコ・ゼフィレッリ監督作品『永遠のマリア・カラス Callas forever』（二〇〇二年）。カラスが一九六四年に吹きこんだ『カルメン』のＣＤは空前の大ヒットとなったが、実は彼女は舞台では一度もカルメンを演じていない。そんなファンの夢を叶えるかのように（ただし、ＢＢＣインタビューでカラスは「『カルメン』は、舞台よりも映画で見てみたい」といっているのだが）、ゼフィレッリは映画のなかで、幻のカラスの『カルメン』を垣間見せた。ファニー・アルダン演じるカラスの歌声はカラス本人のものであり、フィクションと知りつつも不思議な興奮を禁じ得ない。

もう一作、最新のカルメン映画としてあげたいのは、スペインのビセンテ・アランダ監督作品『カルメン』（二〇〇三年）。原作とオペラを巧みに取りこみ、外国人の眼ではない、スペイン人の眼から見たカルメン像の試みだ。ホセがエスカミーリョを殺し、最終的にカルメンをも殺害するという結末だが、興味深いのは、最後の殺害シーンで、カルメンがホセから逃げることなく、むしろみずから身体を投げ出して死を迫っている点だ。直前のエスカミーリョとカルメンの性交シーンは、そのまま闘牛士と闘牛の決闘になぞらえられ、カルメンは闘牛士に向かう闘牛さながらに、ホセの胸にまっすぐ飛びこむ。エロスとタナトスが重なるシーンだが、死をみずから呼びこむという点で、カルメンの潔さがほかのなにものにも増して際立つシーンとなり得ている[20]。

宝塚歌劇団『激情——ホセとカルメン』

1．概略

宝塚歌劇宙組公演『激情——ホセとカルメン』は、脚本・柴田侑宏、演出振付・謝珠栄[21]、作曲編曲・高橋城、斉藤恒芳、装置・日比野克彦という布陣によって、一九九九年夏に上演された（その後、二〇一〇年、一六年に再演）。柴田・謝コンビで制作された三部作『黒い瞳』（原作プーシキン『大尉の娘』）、『激情』『凱旋門』（原作レマルク）のひとつであり、レビュー的ミュージカルとして、宝塚の未来を垣間見せてくれる傑作といっていい。なによりもこの作品のユニークさは、宝塚的事情（この場合は、当時の新生宙組の事情といってもいいかもしれないが）のなせる業だろうが、二番手男役を、エスカミーリョではなく作者メリメ（およびカルメンの夫ガルシアの二役）として登場させ、愛憎劇の傍観者でありながら当事者という二重の立場に置いたことであろう。語り手であると同時に登場人物でもある原作の語りの構造を巧みに取りこんだ構成だ。その結果、原作、オペラをともに脱構築する作品になっていることは、いくら強調してもしすぎることはないだろう。

2．見えない内面、自由への渇き

プガチョフ反乱という歴史的事件を素材とし、国家と個人、国家と民族、インローとアウトローといった大きな枠組みのなかで、男と男、男と女、女と女の人間ドラマが展開された『黒い瞳』同様、『激情』もまた、ある意味でインローとアウトローの物語だが、インローがアウトロー化していくがゆえに生まれる悲哀がその中心にある。しかし、かといっていわゆるアンチヒーロー（歌舞伎でいう色悪・色敵）が主役かといえば、必ずしもそうではない。ヒーロー／アンチヒーローを超えた「ヒーロー」、光にも影にもなりきれなかったホセというひとりの男を描いている点が新しい。姿月あさと扮するインローの青年士官ホセと花總まり扮するアウトローのジプシー女カルメンが光と影の関係にあることはいうまでもないが、ホセと二番手の和央ようか扮するメリメもやはり光と影の関係にあるといえるのかどうか。メリメ役の和央は、いわばこの作品全体の狂言回しであり、『黒い瞳』の精霊たちと同様、作品の案内者でありながら登場人物と観客の媒介者的役割を演じていることは間違いない。これも謝案であった（脚本の段階から、かなり謝の意向が反映されていたようだ）。ただし、『黒い瞳』のニコライとプガチョフと違って、メリメとホセはいわば分身関係――知性派と行動派――にある。ホセはメリメから生まれたにもかかわらず、メリメを超えていく、超えていった存在であり、メリメはただただ彼を凝視し、受け容れるしかない。興味深いのは、花總と二番手娘役陵あきのの関係も、オペラ同様、激情の女カルメンと母性の女ミカエラといった形で対比・対照的に描かれていることだ（事実、陵はホセの母役も演じている）。さらに、トップスター姿月と三番手の湖月わたる扮するエスカミリオ（宝塚版ではこの表記である）とは、やはりカルメンを挟んでライバル関係にあるが、カルメンとおそらく同類の人間、いかさま同士として描かれているところが、ここではミソだ。その意味で、ホセがエスカミリオを殺した（実際には闘牛に失敗して死ぬわけだが）時点で、カルメンの死は予告されていたということができよう。カルメンは殺されたというよりは、殺されることを知っていた、いや殺されるのを待っていたのかもしれない。ホセから逃れるのではなく、自分から、自由という牢獄から逃れるために。「あたしはしたいようにする、殺されても」という台詞のままに。

柴田脚本の妙は、他作品同様ここでも十二分に生かされている。ままステレオタイプ化された人間像――光と影、犬と狼、拘束と自由等々――とはいえ、各々が各々を照らし出す重層的な作品構成は変わらない。しかし、わけても特筆すべきは、骨太の人間群像を描いた『黒い瞳』以上に、『激情』ではひとりひとりの人物が掘りさげられていることだ。この作品に「大」事件はない。ホセを翻弄するものは、あくまでカルメンであって、大事件や大文字の歴史ではない。そこが『黒い瞳』とは違う。要するに、ここでは見えない内面を見えるようにすることが主眼なのであり、かつ単純な男と女の恋のもつれ話に収斂させることなく、恋に殉じようとするひとりの男と自由を求めるひとりの女の、おそらく決して交わることのないであろうふたりの人間ドラマへと昇華させることが問題なのだ。恋愛はある意味で互いを拘束しあうことといい得るだろうが、そうであればこそ、拘束からの自由・拘束なき自由を求めるのが人間の常であろう。「あたしはあたし、誰のものでもない。自由なの」。それがはっきりと見えているカルメンと、それを見ようとしないホセ（彼は拘束しあう恋にこそ自由があるというのだろう）であれば、両者の心はすれ違うしかない。すれ違うふたりの心をどう描くのか。まさに問われるべきは演出の力であろう。見えない内面をどう見せるのか。自由への渇きをどう舞台化するのか。

3．ユニークな演出の数々

うなってしまうのが出だしだ。とにかく音楽がいい。大きな赤い布が切って落とされ、兵士、闘牛士、町の女、ジプシー、そしてカルメン等登場人物たちが、軽やかに、華やかに、艶やかに歌い、踊りながら、つぎつぎに登場する。顔見せ的でありながらすでに物語は始まっており、謝演出は私たちを一挙に物語の核心へといざなう。ホセとカルメンの出会いから別れまで（幕を引かないで）一気に見せる無駄のない舞台展開は『黒い瞳』と変わらない。特徴的なのは、一場面を最後まで見せることなく、最後の数秒を切り、暗転のままつぎへとつなげる演出が多用されていることだ。これは、一場面を自己完結させることなく、全体で一枚の大きな布が織られるような演出といっていいだろう。なによりも、淀みのない流れをつくること。具体的には、大がかりなセットに頼ることなく、舞台全体に垂らされたカラフルな移動する幕や回転する鉄格子が効果的に使われる。これによって舞台空間が広がり、かつ流動化する。ついで盆が大きく一回転することによって、舞台がクラブの店内からカルメンの寝室へと一変し、ふたりのラブシーンが演出される。鉄格子のなかではいまだ夢想であった恋の炎が一挙に燃えあがる瞬間だ。その際の照明の変化（暗色から暖色へ）も見逃せない。さらに、舞台と並行ではなく、斜に切られた、通りとも十字架ともおぼしきセットが中心に据えられ、何回かの移動を経て、最終的に十字架へと変貌する。天上への道を思わせるこのセットがあればこそ、ホセの悲しみもカルメンの悲しみもそれとしてしかと認知されよう。そうでなければ、単なるマザコン男とわがまま女の話でしかない。ホセは十字架の中央に座りこみ、立ちあがるものの、また下界⁉　に降りてくる。一方、天上人となった（と思われる）カルメンもまた――闘場の場面では花總は高みからことの一部始終を見ている――、最後にいま一度（殺されるために）地上に下りてくる。彼女はすでにふたりの運命を知っている。つまり、自分が殺されるのを予感している。しかし、決定的にすれ違ってしまったふたりがこの世で正面から向きあうことはもはやできない。かくして、彼女の背中をめがけて銃弾が打ちこまれる。カルメンはより愛することを、ホセはより愛されることを望んだといえばいいのだろうか。終幕のいかにも宝塚的なエピローグ（目が覚めたホセをカルメンが笑顔で迎え入れる）も、ふたりが憎みあって別れたというよりは、一種の心中という解釈ゆえかもしれない。殺されるのがいやであるならば、カルメンは必死に逃げていたはずだし、ホセの「激情」と正面から向きあおうともしなかったはずだから。殺されるのではなく、みずからの意志でホセの「激情」と刺し違えること。彼女もまた死に場所、「激情」の行き着くところを探していたのかもしれない。束縛からの自由を求めつつも、束縛のない自由とはもはや自由とはいい難く、自由という牢獄であり、死の異名でしかないだろう。

ケレン味たっぷりの振付であり演出だ。とにかく、装置・照明の使い方を含め、舞台空間の処理のうまさにはただただ感嘆するばかりだ。銀橋の使い方なども心憎い。たとえば、ホセとカルメンは銀橋ではじめてふたりきりになる。（ホセが）縛り（カルメンが）縛られる恋の空間の現出だ。ロープをもて遊びながら、カルメンは巧みにホセを誘惑する。銀橋を渡り終えたとき、縛り縛られる関係がすでに逆転していることはいうまでもない。あるいは、最後の闘牛場へと至るシーンで、ジプシーたちが舞台中央で語りあう場面から、ホセとメリメが銀橋で語りあう場面へ転換するとき、町の女たちがいっせいに銀橋の両サイドから躍り出て銀橋を埋め尽す演出。なんという洒落た場面転換だろう。観客は銀橋に釘づけだ。

4．レビュー的ミュージカル

そしてなによりも、この作品を傑作たらしめているのは、仕種の延長に踊りがあり、台詞の延長に歌があるレビュー的ミュージカルともいうべきコンセプトそのものであろう。『黒い瞳』でもすでにその徴候はあったが、『激情』ではそれが徹底された。全篇がより舞踊化・音楽化されることによって、いっそう舞台に華やぎが増し、途切れることのない動きと音からなる夢舞台が生まれることになった。舞台にはたえず（舞台の精ならぬ）運命の精が姿を現し、文字通り息を吹きかけている。カルメンが町の女を傷つける場面では、血の代わりに赤いスカーフが飛んだり、官能の精たちがカルメンのかたわらで踊り続けていたし、営倉に入れられたホセの前に現れたカルメンとミカエラのかたわらでは、やはり恋の精たちが踊っていた。カルメンがカードを切るときも、ホセがガルシアに嫉妬するときも、ガルシアと決闘するときも、さらに最後の幻影の闘牛シーンでホセがエスカミリオと対峙するときも、運命の精たちは踊り続けていた。感情という、心という、あるいはもっというなら魂という本来形のないもの・色のないものが踊りという形で視覚化され、音楽に乗せられるとき、そこに形が生まれ、色が加わる。いや、逆だろうか。踊りとして音楽として視覚化され聴覚化されることによって、舞台全体が非現実的・非日常的な舞踊＝音楽空間としてうごめき、色めく。そうであればこそ、本来見ることも聞くことも触れることもできないこの感情＝心＝魂が自在に生息することが可能になるのだろう。もっとも微細なものからもっとも強大なものに至るまで、縦横無尽、伸縮自在に変化する感情そのもの・心そのもの・魂そのものが日常の軛から解放され、自由に飛翔する空間。

かくして、歌と踊りによって舞台全体の空気が泡立ち、舞台と観客が共振・共鳴する。宝塚的美学がその様式美にあるとすれば、その基本にあるのは、歌舞伎同様、踊りであり音楽であろう。音楽的舞踊というべきか舞踊的音楽というべきか、仕草と台詞が徹底的に舞踊化＝音楽化、すなわち律動化されるとき、「動く錦絵」は文字通り「踊る錦絵」へと昇華されるのではないだろうか。歌が台詞と音楽の一致であるように、ダンスもまた仕種と音楽の一致といっていい。それらは、途切れることのない動きと音のなかに生まれた一種の波紋（共振・共鳴現象）のようなものといえるかもしれない。

＊＊＊

カルメンは、なにものにも縛られない自由の代名詞だ。しかし、その自由はなにによって可能になるのだろうか。

オペラ『カルメン』が、原作の囲いこまれた「ジプシー女」からカルメンを解放し、母性の対極に位置する「ファム・ファタル」幻想をよりいっそう強化するものであったとすれば、宝塚版ミュージカルは、カルメンの言う自由が、束縛のない自由＝自由という名の牢獄であったことを示唆する。

わけても宝塚版の魅力は、傍観者であると同時に当事者でもあるメリメを配することによって、ホセはもちろんのこと、ホセとカルメンの関係もまた、いま一度異化され、透視されることだ。恋に殉ずる男と自由に殉ずる女。死に場所を求めていた男と女の交錯劇。そのことは、男役中心の宝塚的美学のみならず、カルメン神話そのものが不断に異化され、脱構築され得ることの紛れもない証左であろう。

［注］

（1）*Mérimée, Theatre de Clara Gazul, Romans et nouvelles,* Gallimard, Bibliotheques de la Peiade,1978.を底本とし、複数の翻訳を参照した。ここでの引用は、『カルメン／コロンバ』（平岡篤頼訳、講談社文芸文庫、二〇〇〇年）、八四頁。

（2）同上、九二頁。

（3）同上、九三頁。

（4）同上、九四頁。

（5）同上、三一頁。

（6）ロマン派文学においてもっとも多彩な開花を見たFemme fataleに決定的な定型はなく、上は清純な女神・天使・乙女・妖精から、下は恐ろしい魔女・妖婦・娼婦に至るまで、人間の奥底に潜む多様性、両極性こそ、その特性であると松浦暢は指摘する。カルメンはさだめし、氏の分類する地上型――人間、妖精を主体にした純情タイプ――でも、昇華型――女神型と抽象理念型――でもなく、下降型――愛する者を破滅させても自己愛をつらぬく悪女・妖婦タイプ――に分類されよう。松浦暢『宿命の女――愛と美のイメジャリー』（平凡社、一九八七年）参照。
（7）プロスペル・メリメ著、工藤庸子訳・解説、『カルメン』（新訳・世界の古典シリーズ）、新書館、一九九七年、一九四頁。
（8）小説『カルメン』の語りに特化した研究としては、末松壽『メリメの『カルメン』はどのように作られているか——脱神話のための試論』（九州大学出版会、二〇〇三年）参照。
（9）実生活においては「ダンディ」、精神構造においては「オリエンタリスト」、フェミニズムの用語でいえば「男性優位社会」の優等生のようなひとりの人物が『カルメン』を書いてしまったのだ、と工藤は指摘する（工藤庸子『フランス恋愛小説論』岩波新書、一九九八年、一一九頁）。
（10）前掲書『カルメン』、二〇五頁。
（11）前掲書『フランス恋愛小説論』、一一一頁。
（12）フランス初演のあと、ただちに（その年の一〇月）ウィーンで上演され、好評を博した。その後、世界各地で上演され、一八八三年にオペラ・コミック座で凱旋公演（ちなみにパリ・オペラ座の上演は一九六〇年になってから）。他方、一九六四年にビゼーのオリジナル版楽譜が出版され、以後、オペラ・コミック版（一八七五年版、慣用版、一九六四年版）とグランド・オペラ版（ウイーン初演版、標準版）が共存するようになった。
（13）ミシェル・カルドーズ著、平島正郎・井上さつき訳『ビゼー——『カルメン』とその時代』（音楽之友社、一九八九年）、三〇八頁。

(14)安藤元雄(台本)・倉田裕子(本文)訳『名作オペラブックス8　ビゼー　カルメン』(音楽之友社、一九八八年)、三二三頁。ちなみに、オッフェンバック自身は、リアリズム・オペラともいうべき『カルメン』を認めるのにやぶさかではなかった。クラカウアー曰く「ビゼーがオッフェンバックに、かれ自身の限界をわからせたとすれば、ヨハン・シュトラウスは、オペレッタというかれ自身の領域でオッフェンバックを打ちのめした」(ジークフリート・クラカウアー著、平井正訳『天国と地獄――ジャック・オッフェンバックと同時代のパリ』せりか書房、一九八一年、二八六頁)。

(15)黒田恭一「フランス的なものと非フランス的なもの」『ライジング　no・3　カルメンの恋――オペラ・ドラマティック』(新書館、一九八六年、三六頁)。

(16)カルドーズは「カルメンという悲劇的な恋する女、〈淪落の〉、しかし感動的な娘」に共感するまでは、ビゼーの女性観もまた、メリメ同様、母親と娼婦という単純で皮相なものであったと述べている(前掲書『ビゼー――『カルメン』とその時代』、一一三頁)。他方、カルメン歌手テレサ・ベルガンサも、カルメンは軽率な女でも浅薄な女でも、はたまた気紛れでも無分別でも決してない、として、つぎのように述べている。「カルメンのことを徹底的に考察するときには、メリメが彼女をジプシー女として設定しているという点に注意しないと駄目です。この非常に特別な設定は、まさに、カルメンがどんな具体的な文化にも、またどんな社会にも全く属していないという状況によって、彼女の女性的性格を覆い隠すのにではなく、逆にそれを際立たせるのに役立っているのです」(前掲書『名作オペラブックス8　ビゼー　カルメン』、二八七頁)。

（17）安藤元雄訳『ビゼー　カルメン』（オペラ対訳ライブラリー）、音楽之友社、二〇〇三年、九四頁。

（18）辻邦夫は「宿命の女」には地霊的な蠱惑、一種の祝祭的浄化があり、その意味で、カルメンは善悪を超えた大地母神の変形であると指摘する（前掲書『ライジング』、二〇頁）。他方、利倉隆も、聖母マリア＝永遠の理想像の対極にあるもののひとつが「宿命の女」であり、その起源には大地母神の姿があるという。要するに「聖母マリア」と「宿命の女」はひとつの女神から派生する究極の聖性と究極の魔性、人間＝男の想像力の光と影の双面である、と（利倉隆『カラー版　エロスの美術と物語――魔性の女と宿命の女』美術出版社、二〇〇一年）。

（19）映画もさることながら、舞台作品も多い。ピーター・ブルック演出の『カルメンの悲劇』（一九八一年、八三年映画化）はほぼオペラ通りだが、最初にカルメンが傷つける相手はなんとミカエラ。日本でも、菊田一夫脚本、鴨川清作演出『ロック・ミュージカル　裸のカルメン』（一九七二年）や、木村光一台本・演出『カルメン』（一九九二年）などカルメン物は多いが、特に後者では、死による解放あるいは死によってしか得られない自由がテーマとなっている。バレエ版も多々あり、プティ版（一九四九年）はミカエラが登場せず、より原作に近いものになっているが、ハバネラを踊るのはホセ。興味深いのは、マシュー・ボーン演出・振付・脚本の『ザ・カー・マン』（二〇〇一年）。ビゼーの音楽だけ借りたまったくの翻案といっていいが、カルメン役を男性・女性のふたりに振り分け、フィルム・ノワール的世界を創出している異色作。

（20）南アフリカを舞台にしたコサ語で歌われる『U-Carmen eKhaelitsha』（二〇〇五年）という映画もある。

ハッチオンは、「アダプテーション」の最たる例として、カルメン映画を、①歴史化／脱歴史化（ブルック版、ロージ版）、②人種化／脱人種化（『カルメン・ジョーンズ』『U-Carmen eKhaelitsha』）、③具象化／脱具象化（ボーン版、サウラ版）の三つの観点からトータルに論じている。

（21）謝は二〇〇八年『Ｃａｌｌｉ――炎の女カルメン』、二〇一八年『ミュージカル ロマーレ Ｒｏｍａｌｅ――ロマを生き抜いた女 カルメン』を演出・振付している。

［資料注］

（22）ＣＤ メトロポリタン・オペラ『カルメン』UCBG-1006 歌詞カード参照。

■資料1　オペラ『カルメン』ナンバー (22)

1	オープニング
2	前奏曲

第1幕	
3	みんなが広場を行ったり来たり…（合唱「兵士たち」）
4	あの娘を見ろ！ 話しかけたそうにしている…（モラレス）
5	当番兵といっしょにおいらも来たぞ！（子供たち）
6	あっちへ行け！（モラレス）
7	鐘が鳴っています！（合唱「女工たち」）
8	カルメンが見えないぞ！（兵士たち）
9	ハバネラ「恋はきままな鳥［恋は野の鳥］」（カルメン）
10	カルメン！ みんながおまえを狙ってる！（合唱「若者たち」）
11	なんて女だ！（ホセ、ミカエラ）
12	さあ話しておくれ（ホセ、ミカエラ）
13	いったい何事だ！（スニーガ）
14	さて少し静かになった 中はどんな様子だった？（スニーガ）
15	何か言いたいことがあるか？ 言ってみろ！（スニーガ）
16	どこへ行くの？（カルメン）
17	セビリアの砦のそばの「セギディーリャ」（カルメン、ホセ）
18	これが令状だ！（スニーガ）
19	間奏曲

第2幕	
20	鈴の音は高く鳴り響き「ジプシーの歌」（カルメン）
21	皆さん！ 夜も更けました（パスティア）／万歳！ 闘牛士！（群集）
22	諸君の杯を喜んで受けよう「闘牛士の歌」（エスカミーリョ）
23	皆さん どうかご退出を！（パスティア）
24	うまい話がある（ダンカイロ）
25	惚れたなんて理由にならんよ（ダンカイロ） 竜騎兵よ！（メルセデス）
26	とうとう来たのね（カルメン）
27	あんたのために踊るわ（カルメン）

28	おまえの投げたこの花を「花の歌」（ホセ）
29	いやあんたは愛してないわ（カルメン）
30	おい！ カルメン！（スニーガ）
31	間奏曲

第3幕	
32	よく聞けよ 仲間たち！（密輸業者たち）
33	何考えてるのさ！（カルメン）
34	まぜて！ 切って！「カルタの歌」（カルメン、フラスキータ、メルセデス）
35	ねえ あたしにもやらせて！（カルメン）
36	税官吏ならあたしらにまかせてよ！（カルメン、メルセデス、フラスキータ）
37	つきましたぜ（案内人）
38	こわくないと言ったけど何を頼りにしたらいいの？（ミカエラ）
39	ホセだわ！ 銃を持って…（ミカエラ）／おれは闘牛士だ！（エスカミーリョ）
40	やめて！ ホセ！（カルメン）
41	間奏曲

第4幕	
42	2クワルトだよ！ さあ買って！（商人たち）
43	来たよ！ 闘牛士が来た！（子供たち）
44	もしおれを愛しているなら…カルメン（ホセ）
45	あんたね（カルメン）／おれだ（ホセ）

■資料2　宝塚歌劇宙組『激情――ホセとカルメン』シーン（初演プログラム）

シーン1	プロローグ～分身～
シーン2	セビリアの祭り
シーン3A	誘惑～街通り～
シーン3B	街通り～詰め所～
シーン4	営倉
シーン5	裏通り
シーン6	クラブ「リーリャス・パスティア」
シーン7A	恋の一夜～カルメンの部屋～
シーン7B	恋の一夜～元のクラブの部屋～
シーン8A	公園にて～街角A～
シーン8B	公園にて～街角B～
シーン9A	狼たちの部屋～アジトA～
シーン9B	狼たちの部屋～アジトB～
シーン10	ガルシアとの決着
シーン11A	駅近く～街角C～
シーン11B	駅近く～街角D～
シーン11C	駅近く～街角E～
シーン12	十字架
シーン13	ジプシーのアジト近く
シーン14A	闘牛場～闘牛場のアリーナ～
シーン14B	闘牛場～闘牛の幻影～
シーン14C	闘牛場の入口近く
シーン15	エピローグ～冬の朝～

column 2

2・5次元ミュージカルと翻案ミュージカル

『テニスの王子さま』をはじめて見たときの衝撃は忘れられない。舞台に女性がいない、大人がいない、恋愛がない等のないない尽くし。なによりも、舞台にいるのは少年たちだけで、見ている観客は九割以上が若い女性というアンバランス!? そのコントラストがまずは驚きであり、新鮮だった。

それにしても、昨今の2・5次元ミュージカルの人気は凄まじい。若者たちに身近な漫画・アニメが原作ということで親しみやすいのは充分に理解できるが、二次創作にも通ずる、原作への過度のリスペクト・オマージュはなにを意味するのか。二次元を三次元化するという意味では、ほとんどの舞台芸術がそうだといえるが、小説の翻案が見えない原作を可視化するのに比し、映画や漫画・アニメのそれは見える原作を文字通り可視化するという決定的な違いがある。原作のイメージに縛られるのは当然だが、そこから遠ざかるのではなく、むしろ積極的に近づくということは、模写の精神に近いということだろうか。原作のイメージを壊したくない・壊さないでほしいとは、昔からよくいわれることだが。

2・5次元ミュージカルの元祖として宝塚の『ベルサイユのばら』があげられるが、宝塚の場合は、あきらかに宝塚的世界仕様に翻案することを目指しており、2・5次元ミュージカルとはいわばベクトルの向きが逆といえる。とすれば、あえて三次元の役者やパフォーマーを二次元の漫画・アニメのイメージに近づける戦略は、浮世絵の世界にも似た平面志向の表れだろうか。2・5次元ミュージカルに日本的な芸能の趣向を感じるのは、「動く錦絵」ともいうべき歌舞伎役者やタカラジェンヌに通ずる世界をそこに感じるからかもしれない。一方で日本の伝統芸能を踏まえつつ、他方で劇団四季のように、原作至上主義をとっている2・5次元ミュージカル（劇団四季批判から始まったとはいえ――）。果たしてそれは、日本のミュージカルの新しい試みになり得るのか。

あるファンは言う。役者は二次元に近いだけではダメ。三次元の部分こそが大事。二次元と三次元、虚構と現実の狭間で格闘している、そのさまがいい。文字通り、2・5次元の存在である、と。キャラクターに似せようとするなかで、いやおうなしに生まれる「個性」のようなもの。原作は真似るべき、そして最終的に帰っていくべき範例であり、指針にほかならない。これはほとんど、歌舞伎の親と子、師匠と弟子の関係だ。芸事は真似ることからしか始まらない。しかし、どんなに真似ても、決して同じになることはない。必然的に差異は生まれる。それが型を身につけ、型を破るということの謂だろう（型無しになる場合も多々あるが）。2・5次元ミュージカルの原作主義が、結果としてスター誕生につながっているのは面白い。

翻案ミュージカルもまた原作へのリスペクトを失ってはいない。ただ、それがひたすら原作のイメージを再現する翻訳ミュージカル以上に、原作のイメージを（善きにつけ悪しきにつけ）裏切り、超えていく点に、翻案ミュージカルの醍醐味はあるということだ。原作からかぎりなく遠ざかることによって、原作に近づくといったらいいだろうか。ジャンルが違う以上、常にすでに他言語・

他ジャンルに翻訳・翻案された時点で、それは原作とは異なる。近づくか、遠ざかるか。再現もリスペクトなら、変換もまたリスペクトだ。（可視であれ不可視であれ）最初のイメージのさらに見えざる・触れざる深層に肉迫しようとするのが翻案ミュージカルだ。それが結果として深読みを生み、ジャンルへの挑戦を生む。そのことは原作の解釈可能性を探ることと、おそらく別のことではない。

第 5 章

レント
「今日」を借りる

筆者の周囲にはたくさんの「レントヘッド」がおり、口を開けば『レント』の話である。その熱にほだされて、はじめてニューヨークに赴いた際、『レント』を観劇した。正直、周りの熱狂についていけなかった。言葉の問題もあっただろう。しかし、それ以来ずっとこの作品が気になっていた。やがて、何度も舞台や映画を見ていくなかで、やっとなにかがほぐれかけてきた。二〇一八年夏、来日版の『レント』を見た。興奮した！　筆者はこの作品の魅力を知るのに一〇数年の歳月を要したことになる。

『レント』の魅力はどこにあるのか。あまたある翻案作品のなかで、これほど原作を改変した作品はおそらくない。原作の読解可能性以上に、翻案の面白さ、翻案そのものの可能性を教えてくれる作品だ。

ミュルジュール『ボヘミアンの生活情景 Scènes de la Vie de Bohème』

【あらすじ】

主たる登場人物は、いまだ「無名のボヘミアン」「四銃士」と呼ばれる詩人のロドルフ、画家のマルセル、哲学者のコリイヌ、音楽家のショナール、加えて、ロドルフの恋人ミミ、マルセルの恋人ミュゼット、ショナールの恋人フェミィや、彼らの仲間に加わらんとする哲学・文学愛好家のバルブミューシュらが織りなす物語。その中心となるロドルフと恋人ミミ（お針子 grisette[1]）、ふたりの関係は二転三転した末に、ある年のクリスマスの前夜、伯爵夫人におさまったかと思ったミミが彼のもとに戻ってくる。それはロドルフがミミを想って書いた「詩」を読んだためだった。しかし、すでに病に犯されていた彼女はすぐ病院に移されるが、そこでひとり亡くなってしまう。ちょっとした行き違いで、ロドルフはミミを看取ることができず、彼女の遺体は引き取り人のない共同墓地へと送られる大きな荷馬車のなかにあった。ミミの死後、「詩」そのものが恋人になったとロドルフはひとりごつ。「四銃士」は、「名もなきボヘミアン」からそれぞれに名をなし功をとげていくが、恋の行く末は別だ。マルセルとミュゼットの恋も、ミュゼットの結婚で終わりを告げる（「もはや昔のミュゼットではない彼女は、／私ももう昔の私ではなくなったと言いました。／ではさようなら。／最後の恋と一緒に死んだ、／愛する女よ。／私たちの青春は古い暦の／奥底に埋められてしまったのだ[2]」）。こうして、ひとときの青春に幕が閉じられる。

『レント』のもととなったオペラ『ラ・ボエーム』のルーツは、フランスの作家アンリ・ミュルジェール Henri Murger（一八二二～六一年）の『ボヘミアン情景 Scènes de la Bohème』（一八四五年）といわれる。新聞「ル・コルセール」に不規則に発表されたこの連載小説は好評を博し、『ボヘミアンの生活 La Vie de Bohème』（一八四九年）として戯曲化＝舞台化され、さらに小説『ボヘミアンの生活情景 Scènes de la Vie de Bohème』（一八五一年）として単行本化された。

パリ生まれのミュルジェールは文筆業を目指し、業界紙に記事を書いたり、トルストイ伯爵（文豪トルストイの縁戚）の秘書を務めたりしながら、『ボヘミアン情景』を連載する。セーヌ左岸のカルチェ・ラタンに住む、若く貧しい芸術家群像を描いたものだ。戯曲も小説も登場人物は変わらないが、一貫したストーリーはなく、さまざまなエピソードを集めたものである(3)。

ラ・ボエーム（ボヘミアン）とは元来ボヘミア出身のジプシー（ロマ）を意味するが、そこから自由な放浪者、さらには自由奔放な芸術家たち（中世の即興詩人、放浪詩人からシェイクスピアやモリエール、さらにはルソー、一九世紀でいえば、クールベ、ボードレール、ゴーティエ、ネルヴァール等々といった人々、さらには一九二〇年代のロスト・ジェネレーション、五〇年代のビート・ジェネレーション、六〇年代のヒッピー等々に至るまで）を意味するようになった。

劇作家テオドール・バリエールの協力を得て作られた戯曲では、「ミミとミュゼットが似すぎていると感じ」「ミュゼットには陽気で浮気っぽい横顔を与え、ミミには感傷的な気質と欲得無しの心を与えた(4)」という。またミミが死ぬ前にロドルフのもとに戻る場面は、観客の同情を増す工夫をしたようだ。

プッチーニ『ラ・ボエーム La Bohème』

1. 概略

オペラ『ラ・ボエーム La Bohème』は、台本ルイージ・イリッカ、ジュゼッペ・ジャコーザ、作曲ジャコモ・プッチーニ（一八五八〜一九二四年）、指揮トスカーニによって一八九六年に初演された。オペラ『マノン・レスコー』につぐ、プッチーニの四番目の作品であり、イリッカ、ジャコーザ、プッチーニの「聖三位一体」コンビは、この後、『トスカ』（一九〇〇年）、『蝶々夫人』（一九〇四年）と続く。『ラ・ボエーム』は奇しくも、同時代の作曲家レオンカヴァッロと競合することになったが、レオンカヴァッロ版は、マルチェルロとムゼッタが主役であった。ちなみに後年、「プッチーニほど、あの時代のパリの雰囲気を見事に表現している人を知りません」とドビュッシーに絶賛されたが、(5)プッチーニ自身はそれまで一度もパリに赴いたことはなかった。総じて、「ロマン派的な要素と、写実的な要素と、更に、印象派ふうの特徴とが、ほとんど完全な域にまで融合させられた、オペラ史上初めての傑作(6)」と評される。

舞台は一八三〇年頃のパリ。全四幕からなり、第一幕「屋根裏部屋で」と第二幕「カルティエ・ラタンで」は喜劇テイストで笑いや滑稽味に溢れ、後半の第三幕「アンフェール関門」と第四幕「屋根裏部屋で」は一転して悲劇に変わり、涙と哀愁に包まれる。

人物は原作と変わらず、詩人ロドルフォ、画家マルチェルロ、哲学者コルリーネ、音楽家ショナール、お針子ミミ、ムゼッタが主たるメンバー。ここに家主のブノア、老紳士アルチンドロの面々が加わる。物語は、クリスマス・イブの夜、暖をとるために書きかけの原稿を燃やすしかないロドルフォの屋根裏部屋に「四銃士」が集まるところから始まる。家主のベノワが滞納分の家賃を取り立てにくるが、ていよく追い出されてしまう。三人の仲間がクリスマスの祝いをすべく先に部屋を出たあと、階下に住むミミがろうそくの火を借りにやってくる。火が消え、ロドルフォとミミが彼女が落とした鍵を探すうちにふたりは瞬時に恋に落ちる。ロドルフォの〈冷たい手を!〉、ミミの〈わたしの名はミミ〉、そしてふたりの二重唱〈愛らしいおとめよ〉が聴きどころである。

二幕はカルチェ・ラタンの「カフェ・モミュス」に場所を移し、ロドルフォとミミも仲間たちに合流する。そこにマルチェルロの元恋人ムゼッタが老紳士アルチンドロと現れ、周りの男たちを巻きこんで歌って踊る（ワルツ〈わたしがちょっとひとりで街を行くと〉）。すべてマルチェルロの気を引くためだ。哀れなのはアルチンドロで、ムゼッタにコケにされたばかりか、全員の勘定まで支払わされる仕末。おもちゃ売りパルピニョール（行商人）の登場に始まり、鼓笛隊の演奏が聞こえ、帰営の兵隊の行進場面もある賑々しいひと幕である。

第三幕は場面がアンフェール（地獄）の関門で、ガラッとテイストが変わる。パリの中心からパリの周縁へ。マルチェルロとムゼッタが働いている居酒屋にミミが訪ねてくる。ロドルフォとの仲を相談しにきたのだが、そこに現れたロドルフォを見て身を隠す。ロドルフォはマルチェルロに、ミミに愛想をつかしたと話し始めるが、実は「彼女の体調が悪いのが心配なのだ」と告白する。このままでは彼女を幸せにできない、と。それを聞いたミミの〈あなたの愛の呼ぶ声に〉のあと、ふたりの二重唱となる。かたわらでムゼッタとマルチェルロの口喧嘩が始まり、四重唱〈ほんとうにおしまいなのだね！〉で幕となる。

第四幕は、第一幕と同じ屋根裏部屋。四銃士がまた集まっているところに突然ムゼッタが現れ、具合の悪いミミを連れてきたと言う。ロドルフォと再会したミミは彼の腕のなかに倒れこみ、ベッドに横たわる。手が冷たいとつぶやく彼女のためにムゼッタとマルチェルロがマフを買いに出かける。ロドルフォとミミは楽しかった日々を懐かしむが、ミミはいつの間にか息を

オペラ『ラ・ボエーム』（藤原歌劇団公演、2014年）。ロドルフォ役の村上敏明、ミミ役の砂川涼子。
提供：公益財団法人日本オペラ振興会

引きとっている。異変に気づいたロドルフォは冷たくなったミミを前に号泣する。

2．ミミとムゼッタ

若き芸術家たちの青春群像という点では小説・戯曲・オペラとも変わらないが、原作小説ではミミが病院で死ぬのに対して、舞台・オペラでは恋人たちや仲間に見守られて死ぬという設定になっている。これはなによりも劇的効果を狙ってのことだろう。さらに、原作小説ではミミとムゼッタがともにしたたかでありながら純情という点で、ある意味同類であったのに対し、舞台・オペラではミミ＝儚い女性 femme fragile（純情可憐）と、ムゼッタ＝妖婦 femme fatale（したたかで官能的）という両極に分化・分離している。たしかに、ミミの本名はルチアであり、光明（Luce）の女神を意味する（ミミは「最初の太陽は私のもの」と歌う）。一方、ムゼッタは男たちを惹きつけてやまない恋多き女（「彼女の名はムゼッタ、姓は誘惑！」とマルチェルロは歌う）。「温室の花」と「魔性の女」。これもやはり、『カルメン』のカルメンとミカエラの関係にも似て、女性像の類型化・図式化のなせる技であろうか（ただし、『カルメン』と違って、ふたりともソプラノであるのだが）。ともあれ、オペラ版は筋立ての点では最初の新聞連載に近いが、ミミに関しては舞台版以上に大胆なデフォルメが施されており、プッチーニの創造物といっていいようだ[7]。

二組のカップルの恋模様が、このオペラの大きな見どころであることは間違いない。第一幕と第二幕で個々のカップルの対比を鮮やかに見せ、第三幕で両カップルの四重唱、それも同一の旋律ではなく、個々の旋律を歌いながらの四重唱となるのは男女の重層的な関係を強調する演出といっていいだろう。それだけに、ミミの死に向かって、すべての人間の想いがひとつになる第四幕では、ムゼッタはもはやあばずれ女ではなく、ミミを理解し、愛する女に豹変する。この転換は見事だ。彼女は言う、「ミミは天から遣わされた天使」であると(8)。

映画

キング・ヴィダー監督『ラ・ボエーム』(一九二六年)はサイレント映画であり、小説よりオペラ版に近いといわれる。が、冒頭の四人の仲間がロドルフの部屋に集まるシーンや、(階下ではなく)隣の部屋に住むミミが灯りを借りにくるシーン、最後にほうほうのていでアパートに戻った瀕死のミミが皆に囲まれながら死んでいくシーン等はたしかにオペラ版に近いが、ほかはほとんど違う物語といっていい。特に、友人たちみんなとピクニックに行くシーンはこの映画の最大のクライマックスで、ロドルフとミミが愛を確認するシーンでもある。キスを拒否するミミに対し、なぜ逃げるんだと問うロドルフに、「愛しているから」と答え、自分からキスする彼女。森のなかを風を切って走り抜けるミミ役のリリアン・ギッシュが微笑ましくも愛らしい。あるいはロドルフの脚本を売りこむべく、一生懸命身振り手振り交えながら演技するミミ。他方、病に倒れ、貧民窟から抜け出て、荷馬車の後ろにぶら下がりながら引きずられていく様は言葉を失うほどリアルだ。血の気のない、白く浮かびあがったラストシーンの面差しも能面のように美しい。とにかく、ロドルフの嫉妬ぶりが突出しており、ミミの哀れさが際立つ映画だ。彼女の表情のひとコマひとコマ、彼女の一挙手一投足を撮るための映画といっていいほど、この映画はリリアン・ギッシュ賛ともいうべき映像に満ち溢れている。彼女のためにソフト・フォーカス・レンズが開発されたといわれるのも納得だ。

一方、フィンランドのアキ・カウリスマキ監督・脚本『ラヴィ・ド・ボエーム La Vie de Bohème』（一九九二年）は、より原作小説（『ボヘミアンの生活情景』）に近く、大仰な台詞や演技は皆無。白黒映画であり、セットや登場人物のファッションからして、第二次世界大戦前の古き良きパリと思いきや、ロックコンサートの場面もあり、なんとも不思議な雰囲気を醸し出している。ロドルフォはアルバニアからやってきた不法移民であるという設定で、国外追放され、再度友人らの助けで入国するという展開だ。現代のボヘミアンの一面が垣間見える。作家マルセル・マルクスの恋人ミュゼットは故郷に帰り、ミミも一旦ロドルフォのもとを去るが、最後は彼のもとで死ぬために戻ってくる。愛犬の名がボードレールだったり、一夜を明かした墓地が原作者ミュルジェールの墓だったり、至るところにフランスへのオマージュ？　が見てとれる。ジャン＝ピエール・レオやルイ・マル、サミュエル・フラーといった俳優や監督たちが出演しているのも興味深いが、数曲流れるシャンソンの最後を飾るのが日本語の〈雪の降るまちを〉（歌っているのはトシタケ・シノハラ）というのもなんとも奇妙だ。ちなみに、後年フランスを舞台にした『ル・アーヴルの靴みがき』（二〇一一年）は『ラヴィ・ド・ボエーム』の後日譚とみなされ、マルセル役の俳優が同じ役で出演している。

ラーソン『レント Rent』

1．概略

『ラ・ボエーム』の翻案ミュージカル『レント Rent』は、台本・作詞・作曲・編曲ジョナサン・ラーソン Jonathan Larson（一九六〇〜九六年）、原案・追加補詞ビリー・アロンソン、演出マイケル・グライフ、音楽監督・追加編曲ティム・ワイル、振付マーリス・ヤービィによって、『ラ・ボエーム』初演からちょうど一〇〇年目の一九九六年に初演された。ラーソンはユダヤ系アメリカ人の脚本家・作曲家で、一九九一年、アロンソンから『ラ・ボエーム』ミュージカル化のアイディアを引き継ぎ、以後三年にわたって、ラーソン、プロデューサー、演出家の間で改善に改善が重ねられた。そして、オフ・ブロードウェイのプレビュー公演初演の前夜（一月二五日）、ラーソンは大動脈解離で倒れ急逝し、伝説の人となった。二月一三日に本演が初演され、四月二九日からブロードウェイのネダーランダー劇場での引越し公演となり、以後、一〇年を超えるロング・ランとなった。各国で「レントヘッド」を生み、日本でも一九九八年の初演以降、何度も再演されている。

舞台は、一九八〇年代ニューヨーク・イースト・ヴィレッジ。このミュージカルが上演された九〇年代半ば、ニューヨークは犯罪率も低下し、荒廃した過去の街のイメージをやっと払拭し、国際都市へと様変わりしつつあった。しかし、このミュージカルの舞台となる八〇年代は犯罪都市の異名をとり、七〇年代以降続く負のイメージを払拭しきれないままだった。治安の悪さ、生活水準の低さ、人種摩擦、暴行事件、ホームレス、ゲイ・レスビアンに対する差別等々。(9)『レント』が五〇年代の『ウエスト・サイド・ストーリー』、六〇年代の『ヘアー』同様、時代を映す社会派ミュージカルである所以だ。

『ラ・ボエーム』と『レント』の人物の異同は以下の通りである。

『ラ・ボエーム』		『レント』
ロドルフォ（テノール）	↓	ロジャー：ミュージシャン（WASP・ストレート・HIV陽性）
マルチェルロ（バリトン）	↓	マーク：映像作家（ユダヤ系・ストレート）
コルリーネ（バス）	↓	コリンズ：哲学者（アフリカ系・ゲイ・HIV陽性）
ショナール（バリトン）	↓	エンジェル：ドラマー／ドラァグクイーン（ヒスパニック系・ゲイ・HIV陽性）
ミミ（ソプラノ）	↓	ミミ：SMクラブダンサー／ヘロイン中毒（ヒスパニック系・ストレート・HIV陽性）
ムゼッタ（ソプラノ）	↓	モーリーン：アングラパフォーマー（WASP・バイセクシャル）
アルチンドロ（バス）	↓	ジョアン：弁護士（アフリカ系・レズビアン）
家主ベノア（バス）	↓	ベニー：家主（アフリカ系・ストレート）

ミュージカルは二幕からなり、ほとんど『ラ・ボエーム』の枠組を踏襲している。第一幕で、家主ベニー（ただし昔の仲間）が家賃取り立てにやってくるところも、階下のミミがロジャーに灯りを借りにくるところも同じだ（〈ライト・マイ・キャンドル〉）。ただし、ミミは縫い子ではなくSMクラブダンサーという設定だ。哲学者のコリンズも変わらない。音楽家ショナールにあたる人物が見当たらないが、おそらくコリンズの恋人エンジェルがそれにあたるだろう。彼（彼女）はドラマーでドラァグクイーン。舞台に現れるや早々、ドラムのステッキ片手にダンスを披露する。画家のマルチェルロは映像作家マークに姿を変えているが、恋人モーリーンに振られつつも、相変わらず奔放な彼女に翻弄されているという意味ではマルチェルロと変わらない。モーリーンはいまは弁護士ジョアンと恋仲で、嫉妬深いジョアンと即かず離れずの関係を保ちつつ、アングラパフォーマーとして生きている。一幕の最後はカフェでクリスマス・パーティのシーン。〈ラ・ヴィ・ボエーム〉の大合唱で終わる。

第二幕はエンジェルの死が大きな出来事だ。彼（彼女）の死（「彼の旅立ち　彼女の死」〈シーズンズ・オブ・ラブ〉）でひとつにまとまるかに見えた仲間たちだが、互いの溝は埋まらず、どんどん離れていくばかり。それぞれのカップル（ロジャーとミミ、モーリーンとジョアン）はもちろんのこと、ロジャーとマークまでが対立する。そんな彼らをひとつにするのが瀕死のミミだ。死にかけているミミを前に、ロジャーが愛の歌（〈ユア・アイズ〉）を歌うと、突然ミミが起きあがり、「エンジェルに会った」と息を吹き返す。

このミュージカルの魅力はなんといっても音楽。ひとりのミュージシャンによってさまざまなジャンルの楽曲（ロック、ゴスペル、バラード、リズム&ブルース、ゴスペル等）が作られていること。ただただその才能には驚くばかりだが、〈〈アイル・カヴァー・ユー〉〈アナザー・デイ〉〈シーズンズ・オブ・ラブ〉〈ウィザウト・ユー〉〉等、忘れがたい曲ばかりだ。No day but today のメロディは耳をついて離れない。

2. オペラとの異同

改めて、オペラとミュージカルの違いを整理しよう。

①芸術家＝アーティスト群像劇の舞台が、一八三〇年のパリから一九八〇年末のニューヨークに変わっていること。文字通り〈ラ・ヴィ・ボエーム〉というナンバーがあり、「ラ・ヴィ・ボエーム／自由な人生／……自由な生き方　万歳」「戦争の反対は平和じゃない／〝創造〟だ」といった歌詞がみられる。なお、このナンバーが歌われる場面は「ライフ・カフェ」であり、マークに主導され、最終的には全員がテーブルの上にあがり、歌い踊る。それは、映画『ヘアー』（一九七九年）のなかで、ブルジョア一家のパーティに乗りこんだ主人公がテーブルの上にあがり、〈アイ・ゴット・ライフ〉を歌いあげるシーンを彷彿させる。

②ミミの病が結核ではなく、エイズであること。『ラ・ボエーム』で病気なのはミミだけだが、『レ

ント』では主たる四人（ロジャー、コリンズ、エンジェル、ミミ）がエイズ陽性患者である。「人生は短い　時は飛び去る／重荷を分かち合いたい」と〈ラ・ヴィ・ボエーム〉で歌われるように、ミュージカル全体を、死の脅威・死の影が覆っていることがこのミュージカルの特徴だ。

③恋愛の形が異性愛だけではなく、同性愛、異性愛、さらには両性愛が描かれていること。『ラ・ボエーム』のカップルは二組だけだったが、『レント』ではロジャーとミミ、コリンズとエンジェル、モーリーンとジョアン、さらにはマークとモーリーンの元恋人同士（というより、モーリーンを挟んだマークとジョアンの奇妙な関係）、ミミとベニーの関係など、さまざまに入り混じっている。エイズが互いの障壁であり、かつ互いをつなぐ通路になっているロジャーとミミ、コリンズとエンジェルのカップルに対し、モーリーンとジョアンの最大の問題は、「一緒にいると邪魔だけど／一緒じゃないと生きられない」ふたりの確執にある。「素顔の私」「本当の私」を受け入れてほしい、とモーリーンは訴えてやまない（おそらくジョアンも）。恋愛の形がどうであれ、本質は変わらないということだろうか。

④オペラとミュージカルの最大の違いは、ミミが死なないこと。『ラ・ボエーム』のミミの役割は、むしろエンジェルに与えられている。『レント』で死ぬのは「天使」にほかならぬエンジェルだからだ。そのかぎりで、『ラ・ボエーム』は死で終わるオペラだが、『レント』は死から始まるミュージカルということができる。それゆえ、ミミとムゼッタの関係は、エンジェルとミミ、ジョアンあるいはエンジェルとモーリーン、ミミの関係にスライドされている。事実エンジェルは、ほか

の女性たちのレフェランスになっている。ミミとジョアンはエンジェルのように恋人を愛せたらと願い、モーリーンとミミは「月より高くジャンプする」ことをエンジェルから学ぶからだ。「今日はあなたのために／明日はわたしのために」（〈トゥデイ・フォー・ユー〉）と歌うエンジェルはまさに天使であり、男性性／女性性を超えた存在といっていい。彼＝彼女は不在の中心、いや、見えざる中心として常にそこにいる。

総じて『レント』はマイノリティを主人公にしたロック・ミュージカルであり、死の現前・遍在を謳うミュージカルということができる。「レント」の思想がそれを可能にしていることはいうまでもない。以下、それらについて見ていくことにしよう。

3.「レント」の思想

このミュージカルのキーワードは文字通りRentだが、家主のベニーが取り立てにやってきたときに歌われるのが〈レント〉だ。

高騰する家賃の意味だが、それ以外に「ホモ相手の男娼」「裂け目」、さらにRをLに変えれば、「受難節」（キリストが荒野で断食した四〇日間を祝う祭）の意味にもなり得る。

家賃　家賃　家賃　家賃　家賃／家賃なんて払わないぞ／

だってすべては借りものなんだから（〈レント〉）

「すべては借りもの everything is rent」（映画版では「この世のすべては神から借りたもの」と訳されているが）とはどういう意味だろう？

たとえば、コリンズがエンジェルに歌う〈アイル・カヴァー・ユー〉でも、「愛はお金で買うことができない」が、「借りることはできる you can rent it」（舞台映像版・映画版では「愛はお金で買えない／生きる希望をあなたはくれた／運命の人／心の支えになって」と訳されている）と歌われ、さらに、マークが歌う〈ホワット・ユー・オウン〉では、つぎのように歌われる。

きみはアメリカで暮らしてる／ここは千年王国の果て／
何を所有してるかで　その人の価値は決まる　You're what you own
ぼくに意志なんてものはない I own not a notion ／ただ逃げて　猿真似をするだけ／
ぼくに感情なんてものはない　ただ借りてるだけ I don't own emotion – I rent

買うこと、所有することの対語として「レント」が使われていることがここではポイントだ。「借りる」の対語は通常「貸す」だろうが、貸借関係は所有関係を前提とする。事実、ベニーが家賃を取り立てにくるのも、それが自分の所有物であるからだ。売買も、所有関係が前提となる。買うこ

ミュージカル『RENT』(2019年)。 提供:キョードー東京

とによって、それは自分の所有物（モノ）となるし、自分の所有物（モノ）だからこそ、他人に売ることができるからだ。You're what you own は、文字通り、人の価値がその人間の所有物（財産）で決まるということだろう。金銭であれ、社会的ステイタスであれなんであれ、「私的所有」が近代社会／資本主義社会の大きな柱であることはいうまでもない。それを否定するということは、いわゆる所有関係を否定するということにほかならない。ではそこで、いかなる事態が生起するのか。「他人にやれる、譲れる、交換できることが所有物の特徴[10]」だ。貸借関係・契約関係によって、他者のものを自分のものとし、逆に自分のものを他者に譲ることができる。逆に、所有しないということは交換できないものの領域に身を置くことだ。要するに、ここでいう「借りる」とは、通常の貸借関係（所

有物の貸借）を超えて、交換不可能なもの、等価交換できないものを「借りる」ということだ。「愛」は買うことも所有することもできない。なぜなら、売りものでも譲渡されるものでもないからだ。愛や意志や感情を所有することはできない。しかし、借りることはできる（おそらく神から）。「すべては借りもの」というメッセージには、すべては所有不可能、交換不可能、代替不可能、唯一無二のものというニュアンスが含まれているといえよう。

4. 死＝生

マイノリティといってもさまざまなマイノリティが存在するが、ここではエスニックマイノリティ（少数民族：黒人、ユダヤ系、ラ・ティーノ［ラテンアメリカ出身者］、黒人とラ・ティーノの混血等）、セクシャルマイノリティ（性的少数者：同性愛者、両性愛者等）はもちろんのこと、麻薬中毒、HIV／AIDS、ホームレス等のマイノリティも含まれる。ちなみに、AIDS（Acquired Immune Deficiency Syndrome）は一九八二年に発見された後天性免疫不全症候群、HIV（Human Immunodeficiency Virus）はヒト免疫不全ウィルス感染の略語だが、血液感染、母子感染、性感染等、その感染範囲は広い。八七年に治療薬AZT、九六年に新薬開発がなされているが、八一年にエイズが症例報告された直後は、「死に至る病」として恐れられ、感染者、わけてもゲイや麻薬常習者等に偏見が集中した。

ところで、エンジェルの死（「彼の旅立ち　彼女の死」〈シーズンズ・オブ・ラブ〉）は、残された者たちになにを残したのだろうか。ロジャーとうまくいかないミミと、モーリーンに翻弄されるジョアンはともに相手に拒まれていると嘆き、「エンジェルが体験したような気持ちを味わえるなら／わたしは死んでもいい／命を捧げられる誰かがいて／アイ・ラブ・ユーを恐れずに言えるなら」と訴える。モーリーンはみずからのパフォーマンスショーで「できることがひとつある／月よりジャンプすること」（〈オーヴァー・ザ・ムーン〉）と歌い、最後、息を吹き返したミミは言う「月より高くジャンプしたわ」、そこにはエンジェルがいた、と（〈フィナーレB〉）。一方、「痛みに向き合えば分かるはずさ／そうすれば彼女［エンジェル］の死は無駄にならない」と言うマークに、「彼の死は無駄だ」と答えるロジャー。ふたりは対立するが、自分を偽ることなく（商業主義に絡め取られることなく）、それぞれの道を進もうと決意する。「映画監督は目が見えない」「ソングライターは耳が聞こえない」と互いを揶揄しつつ、「ぼくにはエンジェルの声がいつでも聞こえる」「それでもぼくにはいつでもミミの姿が見える」とふたりは声高らかに歌う。

（マーク）
エンジェル　きみの声が聞こえる　聞こえる／見える　見える／ぼくのフィルム！
（ロジャー）
ミミ　きみの姿が見える　見える／聞こえる　聞こえる／ぼくの歌！
（〈ホワット・ユー・オウン〉）

マークは映像作家であり、見ること＝映像を生業とする人間だ。他方、ロジャーはミュージシャンであり、聴くこと＝音楽を生業とする。いうならば、目の人間と耳の人間の典型だ。でありながら、視覚型のマークが「声が聞こえる」と言い、聴覚型のロジャーが「姿が見える」と言う、この対照は興味深い。単なるレトリックという以上に、衝突していたふたりになにが必要かがうかがえる歌詞だ。

マークは、エンジェルの声が聞こえてはじめて見えてくるのだ、自分のフィルムが。ロジャーも、ミミの姿が見えてはじめて聞こえてくるのだ、自分の歌が。ただ見ていればいい、聞いていればいいということではない。自分のフィルムが見える／自分のフィルムを見つけるためには、エンジェルの声が聞こえなければいけない。自分の歌が聞こえる／自分の歌を聴くためには、ミミの姿が見えなければ。見ることとの前提に聞くことが、聞くことの前提に見ることがなければいけない。つまり、視覚と聴覚の協働作業がなければ。エンジェルとミミが、ふたりの創作に必要不可欠な存在として現前しなければいけない。エンジェルはマークの恋人ではない。ではなぜエンジェルなのか。それはおそらくエンジェルが、同じＨＩＶ陽性のミミ（とロジャーの異性愛カップル）に、そうではないモーリーンとジョアンの同性愛カップルに、等しく「愛」の在り方を教えてくれたからだ。エンジェルは「神さまからの贈りもの」、いや「神さまからの借りもの A new lease」（コリンズが歌う〈アイル・カヴァー・ユー〉）であり、文字通り「天使」にほかならない。

マークにはエンジェルの声が聞こえる。なぜなら、彼らの中心にはエンジェルがいるからだ。エンジェルの声は当然、ミミにも聞こえるだろう。ミミの向こうにはエンジェルがいる。かくして、エンジェルの声が聞こえ、ミミの姿が見えるのはしごく当然だろう。

死にかけていたミミは、エンジェルの声に押し戻され（「振り返りなさい／そしてあの人の歌を聴くの」）、ロジャーの「歌」（「きみはいつでもぼくの歌だった」）に引き寄せられて、地上に生還する。その意味でも、ミミとロジャーが歌う〈ウィザウト・ユー〉はこのミュージカル全体を通底するナンバーだ。

（ミミ）
あなたがいなくても without you ／大地は凍え／やがて雨が降り／草は育つ
あなたがいなくても without you ／種は根を張り／花が咲き／子どもたちは遊ぶ
（…）
（ミミ）
あなたがいなければ without you ／わたしは手探りして／耳をそばだて／鼓動を聴く
（ロジャー）
きみがいなければ without you ／ぼくは虚空を見つめ／歩き回り／息をつく
（ふたり）
心は乱れ／ハートは憧れ／涙も枯れる／きみ（あなた）がいなければ without you

「あなたがいなくても世界は変わらない」、しかし「あなたがいなければ、わたしは生きていけない」。逆に言えば「あなたがいれば、生きていける」。Without you という表現に、われわれはどれだけ想いを馳せることができるだろうか。このナンバーをコリンズに重ねるとき、死者は死んでいない、死者とともにあるというメッセージが見えてくる。「あなたがいなくても、あなたとともに、生きていく」。生と死はもはや対立しない。生は死であり、死は生である。「すべてのものが借りもの」とはその謂ではないだろうか。（貸す／借りるではない）借りる／返すとは、生／死のことではないのか。「借りもの」であるエンジェルは死んでいない、コリンズの心に生きている以上――。

そう考えれば、繰り返される「未来もない過去もない」「あるのは今日という日だけ」というフレーズも、一見刹那主義に聞こえるが、そうではないことに気づく。死の恐怖のなかで「いま」を生きること。その瞬間さえよければいい享楽主義とは、似て非なることはいわずもがなだ。人生は儚い。しかし、未来も過去もないということは、未来と過去が今日という現在に凝縮していることを意味しよう。直線的・単線的時間ではない、円環的・循環的時間を生きているということ。それは生と死が一体化していること以外のなんだろう。「あなたがいなければ死んでしまう／あるのは今日という日だけ」――あなたがいれば（どんな形であれ）、生きていける、今日というこの日を。

未来なんてない／過去なんてない／今この瞬間が／最後じゃないことを神に感謝しよう
Thank God this moment／Not the last

（…）
ほかに道はない／ほかにやり方はない／あるのは今日という日だけ No day but today
（…）
わたしの唯一の願いは／ここにいること just-to be
いましかない There's only now ／ここしかない There's only here ／愛に身を
委せよう Give in to love
でなきゃ恐怖に負けてしまう／ほかに道はない／ほかにやり方はない
あるのは今日という日だけ

5. 舞台版／映画版

舞台（映像版）で特徴的なのは、Voice mail が適宜挿入され、それが効果的に機能していることだ。全体で計五回挟まれる。電話は、ここでは外とつながる唯一のメディアであり、生＝死であるように、内がそのまま外につながっていることを示唆するが、ここではすべて留守番電話だ。かつ、いずれも電話の向こうにいるのが一件をのぞいてすべて親たち（マークの母、ジョアンの両親、ロジャーの母、ミミの母）であり、それぞれの親バカ振りが強調される。一方的に語られる留守電の反復は、親子がつながっていないことの現れだろうか。あるいは反対に、つながっていること、つながろうとしていることとの現れだろうか。さらに、途中で挟まれるライフ・サポートの会（エイズ患者の会）

も重要だ。登場人物の名前——アリ、ゴードン、パム、スーの四人——はすべて実在の人物（ラーソンの友人たち）だったらしい。道端のホームレスも命を削って生きているという意味では同じだ。彼らが登場する場面は、八人のボヘミアンたちが生きている現実社会、彼らの外の世界であり、彼らの生き様を照射する。留守番電話同様、両者は断絶しているように見えるが、同一の舞台に（書割としてではなく）主たる登場人物として姿を見せるとき、確実につながっていることがわかる。

このミュージカルの最大の特徴は、具体的なセットがほとんどなく、すべてが現在進行形で語られることだ。なんらかの作品が上演されるのを観劇するのではなく、いままさに上演されている出来事に立ち会っているという感覚。舞台に繰り返しはないとよくいわれるが、特にこのミュージカルにはその観が強い。演者と観客の直接無媒介的な共生関係といったらいいだろうか。一方的な関係でも、ひとつに溶けあうような関係でもない。[11] 醒めつつ酔い、酔いつつ醒めた関係！

一方、映画版（監督クリス・コロンバス、脚本スティーヴン・チョボスキー）は具体的な映像・音響が展開されるぶん、ストーリーの流れはわかりやすい。主役八人が舞台に一列に並び、〈シーズンズ・オブ・ラブ〉を歌うシーンから始まるが、映画版のほとんどのキャストは舞台のオリジナルメンバーである（ミミとジョアン役は、個人的な理由で別のキャストに代わったが）。ニューヨークの「いま」を撮るマークの映画がこの『レント』だったというオチだが、冒頭と中間と末尾にそのドキュメンタリー映画の一端が映し出される。映画のなかの映画、劇中劇ならぬ映画中映画とでもいおうか。終盤、No day But today を歌う主演者の顔がつぎつぎに映し出され、最後の最後に映し出されるのはもちろんエンジェル。わかりやすいメーセージだ。

ナンバーの順番が微妙に違うところもあるが、舞台版と映画版の最大の違いは、歌詞の背景・物語がそのまま映像化されていることだ。たとえば、ロジャーが〈ワン・ソング・グローリー〉を歌うとき、元彼女のエイプリルが登場し、医師の診断でＨＩＶ陽性であることが判明するカットが挿入される。舞台版では、彼女は手首を切って自殺したとされるが、その映像はない（撮影はしたがカットされたようだ）。あるいは〈タンゴ：モーリーン〉では、気絶したマークの脳裏で、正装した男女たちがタンゴをダイナミックに踊るシーンが再現され、ミミの〈アウト・トゥナイト〉では、ミミが「キャッチ・スクラッチ」で妖艶に踊るシーンが映し出される。〈テイク・ミー・オア・リーブ・ミー〉にいたっては、モーリーンとジョアンのレズビアン結婚式が敢行されるものの、最終的に言い争いが始まり、絶交状態になる顛末が描かれる。なにより、エンジェルの死後、みんながばらばらになっていくなかで、「自分を愛せないと人は愛せない」と言うロジャーの言葉が重くのしかかる。本当にそうなのだろうか。他者への愛は自己愛からしか始まらないのだろうか。「今日はあなた、明日はわたし」とエンジェルが言っていたではないか。自分を愛せないからこそ、他人にすがりたい。いや、他人に愛されることによってはじめて自分を愛することができる。にもかかわらず、みんな自分が、自分が、だ。みずから他者との窓口を断ち切っている。マークとロジャーの対立は決定的であり、ふたりの心理的な距離は具体的・物理的距離に拡大する。ロジャーはひとりニューメキシコを目指し、マークは自分を偽ってコマーシャル会社で働こうとする（「アメリカ　この国で生

きるなら　良心を捨てされ」）。しかし、やがて同じ場所に戻ってくる。大都会を眺望する建物の屋上で、ふたりはもう一度抱きあう（「きみはひとりじゃない。／ぼくはひとりじゃない」）。そこは、ロジャーが死んだ恋人を思い出しながら、「永遠に生きる曲を書きたい」と歌ったその場所だ。

留守番電話 Voice mail が三回流れるが、舞台版と違って、両親からの留守電を聞きながら「どんなに生活がきつくても、実家よりマシ」と言うマークの言葉がすべてで、親離れが強調される。ちなみに、あとの二回は親からのものではなく、ミミを探すベニーやモーリーンやコリンズの声。ここでは、留守電が横のつながりを強調するアイテムとして生きている。

＊＊＊

『レント』ほど、原作を大きく反転させた作品はない。『ラ・ボエーム』をことごとくひっくり返している。原作・オペラに収斂させることなく、いわばその着地点から出発し、原作・オペラの世界を大きく脱構築し、生と死の新たなドラマへとわれわれをいざなう。

劇場のなかから劇場の外に！　原作を、劇場を飛び出し、現実に開かれたミュージカル。しかしLa vie Bohème の精神はきちんと引き継いでいる。自由だ！　それがどれほど難かしいものかという点も含め、このミュージカルはわれわれとともにあらんとする！　文字通り、ライブ・コンサートならぬライヴ・ミュージカルといえよう。

［注］

（1）お針子とは、一八三〇年代に全盛だった、裁縫や小売りの仕事に携わっていた庶民階級に生まれた若い女性たちのこと。ミュッセの小説『ミミ・パンサン』のミミ・パンサンやユゴーの『レ・ミゼラブル』のファンティーヌなどが有名。なお、ロドルフとミミの物語は、最初の連載小説の一挿話「フランシーヌのマフ」に近いといわれる。貧しい彫刻家ジャックとお針子フランシーヌの恋愛話だが、ミミがほんの六ヶ月で肺病で亡くなってしまい、ジャックの手にはその前日買ったマフだけが残ったという話である。また、ミミのモデルは、当時のミュルジェールの恋人Lucile Loubetといわれるが、彼女は一八四八年四月に亡くなっている。

（2）Henry Murger, *Scènes de la Vie de Bohème*, Flammarion, 2012, p.396. 最近、翻訳が出版された（辻村永樹訳『ラ・ボエーム』光文社古典新訳文庫、二〇一九年）。

（3）最初の連載小説のバックナンバーは現在一部欠けており、その全容を窺い知ることはできないという。Takayasu OYA, *Henry Murger, peintre des grisettes et réaliste sans le savoir*,『フランス語フランス文学研究三二（〇）』、一九七八年、二六頁。

（4）岸純信「歌劇《ラ・ボエーム》について」、七頁（『ラ・ボエーム』二〇〇六年マドリッド王立劇場ライヴ版）。

（5）モスコ・カーナ著、加納泰訳『プッチーニ　作品研究』音楽之友社、一九六八年、五七頁。

（6）同上、五七頁。

（7）前掲論文、*Henry Murger, peintre des grisettes et realiste sans le savoir'* p.31.

（8）ある研究者は、ミミは「この世に自由をもたらすため、天界から降臨した自由の女神」であり、彼女の死は革命（一八四八年のパリの二月革命）の失敗を意味するという。『ラ・ボエーム』も一八四八年の革命（二月革命、三月革命）の挫折を通して自由と社会変革を主張している、と（古山和男「『ラ・ボエーム』のミミとは何者か」『国立音楽大学研究紀要 四九』、二〇一七年、四七〜五八頁）。

（9）一九六五年、「ソドミー法」と呼ばれる同性愛行為に対する刑事犯罪法が制定されたが、徐々に同性愛の容認は進み、二〇〇二年時点で三六州がソドミー法を撤廃している（光富省吾「『レント』研究」『福岡大学研究部論集』A7(4)、二〇〇七年）。

（10）鷲田清一『気持ちのいい話？――鷲田清一対談集』思潮社、二〇〇一年。

（11）舞台奥に光り輝く月は、『ラ・ボエーム』で歌われる光り輝く月を意識しているとも思われる（「冷たい手」で「闇を照らす月」とロドルフォが歌う）が、むしろ映画『月の輝く夜に』を想起させる。オペラ『ラ・ボエーム』をモチーフにした映画で、月明かりの下で恋を紡ぐカップルの話である

[資料注]

（12）小瀬村幸子訳『プッチーニ　ラ・ボエーム』（オペラ対訳ライブラリー、音楽之友社、二〇〇六年）目次参照。

■資料1　小説『ボヘミアンの生活情景』目次

1	Comment fut institué le cénacle de la Bohème ボヘミアンの集団はどのようにできたか
2	Un envoyé de la Providence 神の使者・救いの神
3	Les amours de carême 四旬節の恋・禁欲の恋
4	Ali-Rodolphe, ou le Turc par nécessité アリ・ルドルフあるいはやむなくトルコ人
5	L'écu de Charlemagne シャルルマーニュのエキュー（五フラン銀貨）
6	Mademoiselle Musette ミュゼット嬢
7	Les Flots de Pactole パクトロス川の波
8	Ce que coûte une pièce de cinq francs 五フラン銀貨の価値
9	Les violettes du pôle 極地のすみれ
10	Le Cap des Tempêtes 嵐の岬・青春の嵐
11	Un Café de la Bohème ボヘミアンのカフェ
12	Une Réception dans la Bohème ボヘミアンへの入会・加入
13	La Crémaillère 引越祝い
14	Mademoiselle Mimi ミミ嬢
15	Donec gratus…… 愛されるかぎり……
16	Le passage de la mer Rouge 紅海通過
17	La Toilette des Grâces 優美さの装い・三美神の身支度
18	La Manchon de Francine フランシーヌのマフ
19	Les Fantaisies de Musette ミュゼットの気紛れ
20	Mimi a des plumes 羽を得たミミ
21	Roméo et Juliette ロミオとジュリエット
22	Epilogue des amours de Rodolphe et de Mlle Mimi ロドルフとミミ嬢の愛の結末
23	La jeunesse n'a qu'un temps! 青春はほんのひととき！

■資料2　オペラ『ラ・ボエーム』ナンバー[12]

第1幕	
1	この紅海め、おれをぐしょぐしょにし、凍えさせる（マルチェルロ）
2	おろせ、おろせ、作家を！（コルリーネ）
3	よろしいかな？（ベノア）
4	ラテン区でモミュスが我われを待ってるぜ（ショナール）
5	興がのらない（ロドルフォ）
6	冷たい手を！（ロドルフォ）
7	わたしの名はミミ（ミミ）
8	愛らしいおとめよ（ロドルフォ）

第2幕	
9	オレンジ、ナツメヤシ！ 栗が焼けてるよ！（行商人たち）
10	誰を見ているの？（ロドルフォ）
11	パルピニョール、パルピニョール！（子供たち）
12	飲もう！（ミミ／ロドルフォ／マルチェルロ／ショナール／コルリーネ）
13	ムゼッタのワルツ（ムゼッタ）
14	誰がこんなものたのんだのだ？！（コルリーネ）

第3幕	
15	おうい、ちょいと！ 番兵はいるんだ！（清掃婦たち）
16	ミミ？！（マルチェルロ）
17	マルチェルロ、よかった！（ロドルフォ）
18	ミミの別れ（ミミ）
19	それでは、ほんとうにおしまいなのだね！（ロドルフォ）

第4幕	
20	「箱型馬車」でか？（マルチェルロ）
21	もう帰らないミミ（ロドルフォ）
22	何時ころだろう？（ロドルフォ）
23	ムゼッタ！（マルチェルロ）
24	古き外套よ、聞くがいい（コルリーネ）

25	みんな出ていって？ わたし眠ったふりしていたの（ミミ）
26	ああ！ どうしよう！ ミミ！（ロドルフォ）

■資料3　ミュージカル『レント』（オリジナル・ブロードウェイ・キャスト版）ナンバー（CDライナーノーツ）

第1幕	
1	Tune Up ＃1 チューン・アップ ＃1（マーク、ロジャー）
2	Voice Mail ＃1 ボイス・メール ＃1（マークの母親）
3	Tune up ＃2 チューン・アップ ＃2（マーク、ロジャー、ベニー）
4	Rent レント（マーク、ロジャー、ジョアン、コリンズ、ベニー）～ロック
5	You Okay Honey? ユー・オーケー・ハニー？（コリンズ、エンジェル）
6	Tune up ＃3 チューン・アップ ＃3（マーク、ジョニー）
7	One Song Glory ワン・ソング・グローリー（ロジャー）～バラード
8	Light My Candle ライト・マイ・キャンドル（ロジャー、ミミ）～チャチャ
9	Voice Mail ＃3 ボイス・メール ＃3（モーリーン、ジョアンの母ほか）
10	Today 4U トゥデイ・フォー・ユー（マーク、ロジャー、コリンズ、エンジェル）～ディスコ
11	You'll See ユール・シー（ベニー、マーク、ロジャー、コリンズ、エンジェル）
12	Tango: Maureen タンゴ：モーリーン（マーク、ジョアン）～タンゴ
13	Life Support ライフ・サポート（スティーヴ、コリンズ、エンジェルほか）
14	Out Tonight アウト・トゥナイト（ミミ）～ポップ
15	Another Day アナザー・デイ（ロジャー、ミミ）
16	Will I? ウィル・アイ？（スティーヴほか）
17	On The Street オン・ザ・ストリート（マーク、エンジェルほか）
18	Santa Fe サンタフェ（エンジェル、コリンズ、マークほか）～ R&B
19	I'll Cover You アイル・カヴァー・ユー（コリンズ、エンジェル）
20	We're Okay ウィーアー・オーケー（ジョアン）
21	Christmas Bells クリスマス・ベルズ（コリンズ、エンジェルほか）
22	Over The Moon オーヴァー・ザ・ムーン（モーリーン）
23	La Vie Bohème ラ・ヴィ・ボエーム（全員）～ショーチューン
24	I Should Tell You アイ・シュッド・テル・ユー（ロジャー、ミミ）
25	La Vie Bohème B ラ・ヴィー・ボエーム B（全員）

第2幕	
1	Seasons of Love シーズンズ・オブ・ラブ（全員）~ゴスペル
2	Happy New Year ハッピー・ニュー・イヤー（全員）
3	Voice Mail ♯3 ボイス・メール♯3（マークの母ほか）
4	Happy New Year B ハッピー・ニュー・イヤー B（全員）
5	Take Me Or Leave Me テイク・ミー・オア・リーブ・ミー（モーリーン、ジョアン）
6	Seasons of Love B シーズンズ・オブ・ラブ B（全員）
7	Without You ウィザウト・ユー（ミミ、ロジャー）~フォーク
8	Voice Mail ♯4 ボイス・メール ♯4
9	Contact コンタクト（全員）
10	I'll Cover You—Reprise アイル・カヴァー・ユー（リプライズ）（コリンズ）
11	Halloween ハロウィーン（マーク）
12	Goodbye Love グッバイ・ラブ（エンジェル以外の全員）
13	What You Own ホワット・ユー・オウン（マーク、ロジャー）
14	Voice Mail ♯5 ボイス・メール ♯5（ロジャーの母ほか）
15	Finale フィナーレ（全員）
16	Your Eyes ユア・アイズ（ロジャー）
17	Finale B フィナーレ B（全員）

■資料4　映画『レント』ナンバー／サウンドトラック（ライナーノーツ）

ディスク1	
1	Seasons of loves （ジョアン、コリンズ、ミミ、ロジャー、モーリーン、マーク、エンジェル、ベニー）
2	Rent（マーク、ロジャー、コリンズ、ミミ、エンジェル、住民たち）
3	You'll See（ロジャー、マーク、ベニー）
4	One Song Glory（ロジャー）
5	Light My Candle（ロジャー、ミミ）
6	Today 4 U（エンジェル、コリンズ）
7	Tango: Maureen（ジョアン、マーク）
8	Life Support （ロジャー、エンジェル、コリンズ、ゴードン、スティーヴ、ポール、アリ、パム、スー）
9	Out Tonight（ミミ）
10	Another Day（ロジャー、ミミ、コリンズ、マーク、エンジェル）
11	Will I?（ロジャー、エンジェル、コリンズ、マーク、ゴードン、スティーヴ、ポール、アリ、パム、スー）
12	Santa Fe（エンジェル、コリンズ、ロジャー、マーク）
13	I'll Cover You（エンジェル、コリンズ）
14	Over The Moon（モーリーン）

ディスク2	
1	La Vie Bohème（キャスト）
2	I Should Tell You（ロジャー、ミミ）
3	La Vie Bohème（ミミ、マーク、エンジェル、コリンズ、モーリーン、ジョアン、ロジャー）
4	Seasons of Love B（キャスト）
5	Take Me Or Leave Me（モーリーン、ジョアン）
6	Without You（ミミ、ロジャー）
7	I'll Cover You (Reprise)（コリンズ & カンパニー）
8	Halloween（マーク）　映画ではカット
9	Goodbye Love（ミミ、ロジャー、ベニー、モーリーン、ジョアン、マーク、コリンズ）
10	What You Own（ロジャー、マーク）
11	Finale A（ミミ、ロジャー）

12	Your Eyes（ロジャー）
13	Finale B（キャスト）
14	Love Heals（キャスト）

第6章

オペラ座の怪人

仮面か、素顔か

日本での『オペラ座の怪人』の人気はとどまるところを知らない！　国内にいながらにして各種ミュージュカル版を見ることができる。ケン・ヒル版は来日公演が繰り返されているし、ロイド・ウェバー版は四季（続編は日生劇場）、コピット版は宝塚および梅田芸術劇場で見ることができる。『オペラ座の怪人』は吸血鬼ドラキュラや美女と野獣といった、いうならば「生ける屍」をモチーフにした物語の系譜につながる作品であり、ウィーンミュージカル『エリザベート』（死神と皇后をめぐる話）や、フランスミュージカルやディズニーミュージカル『ノートル＝ダム・ド・パリ／ノートルダムの鐘』（せむし男の話）にも通じる物語だ。甘くロマンチックな音楽とストーリーがその最大の魅力だろうが、なぜそこまで人々の心を捉えて離さないのか。あらためてその魅力に迫りたい。

ルルー『オペラ座の怪人 Le Fantôme de l'Opéra』

［あらすじ］

ときはおそらく一八八〇年頃、場所はパリ・オペラ座。オペラ座に幽霊が住んでいるらしいという噂が流れるなか、主役の歌姫の声が裏返ったり、天井のシャンデリアが落下したり、と奇怪な事件が続く。コーラスガールのひとりクリスティーヌは、亡き父が遣わした（と彼女が信じる）「音楽の天使」によって歌のレッスンを受けていたが、その「音楽の天使」こそ、生まれながらにして醜い形相のため常に仮面をつけることを余儀なくされた「生ける屍」エリックだった。恋慕うクリスティーヌをひとり占めすべく、怪人は湖のある地下の住居へと彼女を幽閉する。彼女の幼馴染みであり、彼女に恋するラウルは、エリックを探す謎のペルシャ人（その正体は、ペルシャで迷宮を建造したものの、秘密保持のために暗殺指令が下っているエリックを助けにやってきた男）と一緒にふたりのあとを追うが、逆に罠にはまってしまう。自作のオペラ『勝利するドン・ジュアン』をひっさげ、怪人は彼女に結婚を迫るが、彼女はウィと言わない。醜さゆえに母親にさえ愛されなかった（母は彼に接吻されるのを嫌った）怪人にとって、クリスティーヌこそ「生きた妻」だった。しかし、彼女からはじめて額にキスされたとき、泣くのは怪人その人であり、もはやクリスティーヌではなかった。ラウルとクリスティーヌは解放され、怪人はみずからの死亡記事をペルシャ人に託し、オペラ座にひとり消えていく。しかし、怪人の遺体が見つかったとき、指にはクリスティーヌがはめてやったとおぼしき指輪があったという。

1．概略

ガストン・ルルー Gaston Leroux（一八六八〜一九二七年）は、フランス推理小説初期においてモーリス・ルブランと並び称せられるフランスの小説家、新聞記者で、代表作に『黄色い部屋の秘密』（一九〇八年）、『オペラ座の怪人』などがある。『オペラ座の怪人 Le Fantôme de l'Opéra』は一九〇九年に「ル・ゴロワ」紙に連載開始され、一九一〇年[1]に刊行された。

物語はすべて伝聞の形で語られ、ノンフィクションという体裁をとっているのがこの小説の特徴だ。実際、一八九六年にシャンデリアが火災で燃えたのは事実だし、オペラ座の舞台から七階下には湖のような貯水槽があり、その水位によってステージ・レベルを果たしてもいるという。

2．さまざまな翻案

原作が出版されてから、すでに数回映画化がなされているが、ほとんどがホラー映画の範疇に入るといっていい。もっとも有名なのは、やはり特殊メイクが評判のロン・チェイニー出演の映画（一九二五年）であろうか。ロイド・ウェバー版を思わせる、マスカレード（仮面舞踏会）のシーンや地下の湖を行くゴンドラのシーンなどが登場するが、最後は原作と違って、怒った市民たちに怪人が追いつめられ、地上に出て逃走するものの、ついに捕まり、セーヌ川に投げこまれるという結末。怪人とクリスティーヌの物語というよりは、仮面と素顔のギャップが見せ場の怪人ロン・チェイニーの映画といっていい。ちなみに、ロン・チェイニーは『ノートルダムのせむし男』（一九二三年）にも出演し、醜くも哀しいカジモドを熱演している。興味深いのは、一九七〇年代に入って、デ・パルマ監督により『ファントム・オブ・パラダイス』（一九七四年）というロック・ミュージカル映画が作られ、シンガー・ソングライター役のポール・ウィリアムズが男性版クリスティーヌを演じていること。近年では、スカラ座を舞台にしたイタリア映画『オペラ座　血の喝采』（監督ダリオ・アルジェント、一九八七年）というホラー・サスペンスも存在する。

さらに、香港版「オペラ座の怪人」も見逃せない。『夜半歌声 A Midnight song/The Phantom Lover』というタイトルで、一九三七年（監督馬徐維邦）と九五年（監督ロニー・ユー）に二回制作されている。前者は抗日運動に絡めたもので、怪人は革命運動に挫折した元革命家という設定。また、怪人がもともと醜かったのではなく薬品をかけられるというエピソードはアーサー・ルービン監督『オペラの怪人』（一九四三年）でもそうだが、『夜半歌声』のほうが先だ。後者は前者のリメイクで、時代も一九三七年という設定である。怪人とクリスティーヌの師弟関係は元スター歌手の怪人と男性歌手に置き換えられ、過去のスター歌手と恋人との悲恋は、劇中劇『ロミオとジュリエット』に重ねられる。娘の家の都合でふたりの仲を引き裂かれ狂ってしまった娘は、夜な夜な、恋人＝怪人の愛の歌を聴きに劇場にやってくる。しかし、火傷で顔を失ってしまった彼は、彼女に会うことができない。一方娘は失明し、もはや彼の醜さが見えない。彼の「歌」だけが「愛」の証だったというラブストーリーだ。

特筆すべきは、イギリス人演出家ケン・ヒル（一九三七～九五年）脚本で舞台版『オペラ座の怪人』が制作され、八年後の一九七六年にミュージカルとしてリメイクされていることだ。ケン・ヒル再演版はロイド・ウェバーがミュージカル化を考えるきっかけになった作品として有名だが、ケン・ヒルは再演当時、未来のロイド・ウェバー夫人のサラ・ブライトマンに主演交渉し、断られた経緯がある。さらに、ケン・ヒル版に触発されたのはロイド・ウェバーだけではなかった。トニー賞受賞作『ＮＩＮＥ』（一九八二年）の制作コンビ、アーサー・コピット（脚本）とモーリー・イェストン（作詩・作曲）もミュージカル化を画策していたようだ。彼らの作品は、まずテレビ化され、その成功によって舞台化されるに至った。

ケン・ヒル『オペラ座の怪人 Phantom of the Opera』

1．概略

ケン・ヒル版は最初からミュージカルではなかった。舞台用に脚色したランカスター初演時の台本を、ストラッドフォード・イーストでの再演時に、ミュージカル用に大幅に書き換え、大成功する。その後、イギリスおよびアメリカ・ツアーを経て、一九九一年、ロンドンのシャフツベリー劇場に凱旋公演。日本でも、九二年以降、都合四回公演されている。

パリ・オペラ座で歌劇『ファウスト』の上演中、悪魔役が首を吊って死亡。そばには「クリスティーヌを主役に」といった内容の、怪人からのメッセージが残されていた。その事件によりクビを宣告されたクリスティーヌは、オペラ座の支配人の子息ラウルに、「音楽の天使 Angel of music」の存在を打ち明ける。やがて、ラウルとクリスティーヌは愛を誓うが、これに怪人は激怒しクリスティーヌを連れ去る。ラウルやペルシャ男（実は怪人の弟）たちがクリスティーヌを探してオペラ座の地下に下り、怪人が仕掛けたさまざまな罠をくぐり抜け、クリスティーヌに結婚を迫る彼を止めにかかる。逆上した怪人は、「愛のため、クリスティーヌ」とナイフを彼女に突き刺すが、倒れたのは怪人だった。

ミュージカル『オペラ座の怪人』（ケン・ヒル版、2018年）。ファントム役のジョン・オーウェン＝ジョーンズ、クリスティーン役のヘレン・パワー。 ©ヒダキトモコ／提供：キョードー東京

2. オペラアリアという彩り

ケン・ヒル版の特徴は、物語は原作にほぼ忠実だが、音楽がすべて既成のオペラから取られていることだ。グノー（『ファウスト』）然り、オッフェンバック（『パリの生活』『ホフマン物語』）然り、ヴェルディ（『シモン・ボッカネグラ』『仮面舞踏会』『海賊』）然り。ただし、歌詞はすべてケン・ヒル自身のものだ。原作では、『ファウスト』が劇中劇として使われているが、それ以外の作品には言及されず、かくしてケン・ヒルの選曲は、あくまで一九世紀のオペラ座の雰囲気を醸し出すためのものといえよう。実際、引用されるアリアは一九世紀中庸の作品がほとんどである。ただし、最後に原作に登場する怪人の自作『ドン・ジュアンの勝利』に呼応するかのように、モーツァルトの歌劇『ドン・ジョヴァンニ』の最後のアリア〈これが悪事の果て〉で幕を閉じるのは、ケン・ヒル一流の洒落だろうか。

『ファウスト』も『ドン・ジョヴァンニ』もいわば地獄落ちの物語。『ファウスト』の場合は、最後に死ぬのは悪魔メフィストであり、ドン・ジョヴァンニもファントムもその系譜に属する。ただし、ケン・ヒル版の場合は、かなり純情可憐な「生ける屍」だが。ビゼーの歌劇『真珠採り』のなかの有名なアリア〈耳に残るは君の歌声〉にのせて、ファントムが歌う〈高い高いところから While floating High Above〉——「わたしはお前に音楽を与えた／お前はわたしと一緒にここにいなければならない／永遠に／わたしたちはパラダイスを分けあうだろう」——が幾度となくリフレインされるが、クリスティーヌにとって、「怪人」は「音楽の天使」でしかなく、仮面を剥いだあと、憐憫が愛に変わることはついにない。絶望した怪人は、振りあげたナイフでみずからを刺し、死んでいく。かくしてケン・ヒル版は、演出はコメディ・タッチだが、歌姫クリスティーヌに一方的に愛を捧げ、最後にはみずから命を断つ「怪人」の哀れさのみが際立つ作品といえよう。

ロイド・ウェバー『オペラ座の怪人 The Phantom of The Opera』

1．概略

音楽一家に生まれたアンドリュー・ロイド・ウェバー（一九四八年〜）が、本格的に作曲を学ぶべく、オックスフォード大学とロイヤル・カレッジ・オブ・ミュージックへと進み、作詞家のティム・ライスと組み、まず旧約聖書を題材にした『ヨセフ・アンド・ザ・アメージング・テクニカラー・ドリームコート』（一九六八年）を、ついでキリストの最後の七日間を描いた『ジーザス・クライスト＝スーパースター』（一九七一年）を大ヒットさせたことは、いまやミュージカル史的常識であろう。『ジーザス』は、一九七〇年に全曲を録音したコンサートアルバムがヒットし、舞台化への道が開かれるが、七一年秋にまずブロードウェイで上演された。七三年にノーマン・ジュイソン監督がイスラエルロケを敢行し、映画化が実現（ただし、ロイド・ウェバーはその演出を嫌った）。同年、劇団四季が早くも日本初演の快挙を成し遂げた。その後、『エビータ』（一九七八年）、『キャッツ』（一九八一年）、『スターライト・エクスプレス』（一九八四年）、『オペラ座の怪人』（一九八六年）と立て続けにヒットを飛ばし、いまなおロイド・ウェバーの創造力は衰えることを知らない。近年は、舞台版に準じた『オペラ座の怪人』の映画化（二〇〇四年）に取り組み、制作・作曲・脚本を手がけていると同時に、続編に着手し、『ラヴ・ネヴァー・ダイズ Love Never Dies（日本ではなぜか『ラヴ・ネヴァー・ダイ』というタイトル）』（二〇一〇年）を発表している。

ロイド・ウェバー版『オペラ座の怪人 The Phantom of The Opera』[2]は、作詞チャールズ・ハート、追補詞リチャード・スティルゴー、演出ハロルド・プリンス、美術・衣装マリア・ビヨルソン、振付ジリアン・リンといった布陣で、初演の怪人役はミケル・クロフォード、クリスティーヌ役はもちろんサラ・ブライトマン。これでもか、これでもかと繰り返される甘美なメロディーや、重さ四五〇キロのシャンデリアはじめ、オペラ場面やオペラ座地下の湖の場面等々、大がかりな舞台装置がその大きな魅力であることは間違いない。演出のプリンスは、驚くほどビジュアル重視的発想の持ち主で、"a score isn't right unless it looks right"とロイド・ウェバーに語ったという。とはいえ、この作品の最大の魅力は、ロイド・ウェバー自身の言葉を借りるまでもなく、ケン・ヒル版、さらにはあまたの先行する映画版と決定的に異なり、ホラーではなく、ラブストーリーに仕立てあげたことだろう。[3]そこに、初演でクリスティーヌを演じた歌姫サラ・ブライトマンとロイド・ウェバー自身との関係を付度することは容易だが、いずれにせよ、怪人の音楽への愛と「音楽の天使」への愛が二重、三重に折り重なっているところに、本作の魅力があることはたしかだ。そう、始めに、サラ・ブライトマンありき。

『ジーザス・クライスト＝スーパースター』以降、ロック色の強い「ロック・オペラ」を志向していたロイド・ウェバーだが、『オペラ座の怪人』はそのクラシック性が最大限に活かされた作品といえよう。実験的試みというよりは、元祖帰りといったほうがいいかもしれない[4]。「しっかりした台本があって、そのロジックにあわせて作曲した音楽によって、物語が展開していくのが正しいミュージカルのあり方[5]」と語る彼にとって、全篇を歌で綴るオペラ、音楽で物語を奏でるオペラへの愛こそ、創作における変わらぬ通奏低音であった。

一八八一年のパリ・オペラ座。プリマドンナのカルロッタの代役をコーラスガールのクリスティーヌが務め大成功をおさめるが、その要因は、怪人が「音楽の天使」として彼女に歌を教えていたため。後日、オペラ座の後援者でクリスティーヌの幼なじみのラウルとクリスティーヌは愛を誓う（オール・アイ・アスク・ユー）が、ふたりの会話を聞いていた怪人は復讐を決意。六ヶ月後、仮面舞踏会〈マスカレード〉に姿を現した怪人は、『ドン・ファンの勝利』を作曲したのでクリスティーヌに主演させよと命令し消えさる。ラウルはなんとか怪人を捕らえようと画策するが、クリスティーヌは彼と怪人の間で揺れ動く。怪人はクリスティーヌに愛を伝え指輪を渡すが、彼女は彼の仮面を剥ぎ取る。すると怪人はクリスティーヌを連れて地下の隠れ家に逃げこみ、捕えたラウルの命と引き換えに我がものになるよう彼女に迫る。クリスティーヌは、醜いのは顔ではなく心だと反発するが、彼の孤独を哀れみキスをする。心打たれた怪人はラウルとクリスティーヌを解放する。クリスティーヌが指輪を返し、ひとりソファにうずくまった怪人がマントで身を隠すと、その姿はすでにない。あとに残ったのは仮面だけだった——。

映画版は、ほぼ舞台版と同じだが、ラウルの物語が追加されたり、怪人の暗い過去が実写として映し出される。さらに、プロローグ（オークション場面）に対応するように、エピローグが用意され、年老いたラウルがクリスティーヌの墓を詣ると、そこには一輪の紅い薔薇と指輪が光っているという後日談が付け加えられた。怪人がクリスティーヌに渡し、怪人に戻された指輪だ。しかし、この指輪はどこからきたのだろうか。それは仮面舞踏会でクリスティーヌから奪った婚約指輪、つまり、ラウルの贈りものではなかったか。ラウルの預かりしれないところで、自分のあげた指輪が怪人とクリスティーヌの間で回遊？　往復していたとすれば、なんという皮肉だろう。舞台版では、怪人が劇中劇『ドン・ファンの勝利』のなかで、無理矢理クリスティーヌの手に自分の指輪をはめるものの、最後には返されるのだが。(6)

2. ドン・ファンの勝利

ケン・ヒル版は原作と即かず離れずの関係にあるということができるが、ロイド・ウェバー版は、原作の再現ではない、原作と等身大のミュージカル制作の試みといっていい。ケン・ヒル版の既成のオペラ使用（オペラが劇中劇として登場する以上、当然といえば当然だが）のうちに、ロイド・ウェバーは、原作の本質を直観したのかもしれない。この物語が、単なるオペラ座の怪人話ではなく、オペラ座のオペラ物語であることに。ただし、既成のオペラに頼ることは許されない、「ポップ・オペラ」である以上――。事実、ロイド・ウェバー版に『ファウスト』は登場しないが、そのかわり、シャリュモー作の『ハンニバル』と『イル・ムート』、さらに怪人作の『ドン・ファンの勝利』が登場する。シャリュモーはクラリネットの前身である楽器の名称であり、もちろん実在の人物ではない。『ハンニバル』はヴェルディの『アイーダ』風、『イル・ムート』はモーツァルトの『フィガロの結婚』風、『ドン・ファンの勝利』はヴェルディの『リゴレット』風といったように、ロイド・ウェバーのオペラ的才能が遺憾なく発揮され、面目躍如といったところだ。いずれにせよ、ロイド・ウェバーは、パリ・オペラ座のオペラ饗宴・競演という原作の骨格を見逃さなかった。そう、地上のオペラと地下のオペラ、旧作オペラと新作オペラの対決というそれを。

ルルーの原作では、『ファウスト』（グノー）／『勝利するドン・ジュアン』（怪人）の対立が見られ、ケン・ヒル版では、グノーの音楽も使いつつ、最後はモーツァルト『ドン・ジョヴァンニ』の〈これが悪事の果て〉で幕を閉じる。かくして、ロイド・ウェバー版の『ドン・ファンの勝利』の前提として、ルルーの『ファウスト』（グノー）、ケン・ヒル版の『ドン・ジュヴァンニ』（モーツァルト）があることはいうまでもない。

グノーの『ファウスト』は最終的に救済されるが、モーツァルトの『ドン・ジョヴァンニ』は救済されない。ルルーの原作では、『勝利するドン・ジュアン』は「近づく者をだれかれかまわず焼き殺しつくしてしまうような恐ろしいもの」[7]と記されるだけである。クリスティーヌは言う。

「深淵から湧き上がるさまざまな音がふいに大きな荒々しい群れとなって、鷲が太陽に向かって舞いあがるように、ぐるぐる旋回しながら大空へのぼっていった。そして、すばらしい勝利の交響曲が世界を燃えあがらせるように響いたので、わたしはその作品がついに完成し、〈醜さ〉が〈愛〉の翼にのって天高くのぼり、勇気をふるって〈美〉を真正面から見つめたのだと悟った(8)」。

愛によって醜が美に昇華する音楽ということだろうが、それは一体どんな音楽なのだろうか。その具体的片鱗は、ロイド・ウェバー版によってうかがい知ることができる。

美と醜の対立は、地上(舞台)と地下のそれと重なり、怪人はクリスティーヌを地下の暗黒世界へと誘惑する。モリエールのドン・ジュアン、モーツァルトのドン・ジョヴァンニと違って、地獄に引きずりこまれるのではなく、みずから人々を地獄に引きずりこもうとする。彼は死の誘惑者にほかならない。「頭のてっぺんから足のさきまで」死で覆われているからだ。そんな怪人の素顔をクリスティーヌは見ようとする。なぜ? 実の父も母も一度も彼の顔を見ようとしなかったのに。二度と顔を見ないですむように仮面をくれたというのに。重ねてクリスティーヌは言う。

「わたしは彼に惹きつけられ、魅了され、そのような情熱のさなかで死ぬことに魅力を感じて、彼に近づいていった。でも、わたしは死ぬまえに一目、彼の崇高な姿を見ておきたかった。彼の顔立ちは、不滅の芸術の炎によって輝かしく変容しているにちがいない(9)」。

怪人は、みずからをドン・ジュアン型の男だと言う。美形であるがゆえに愛されるのではなく、醜いからこそ嫌われるが、みんなの注目を集めるという意味では同じであり、そんな「生ける屍」

を一度見たら、もはや逃れられない、と。

ところで、オペラ座の怪人はオペラ座、とりわけその縦の三層構造、地下・地上・天上（屋上）と切り離すことができない。これはそのまま、エス・自我・超自我あるいは過去・現在・未来に対応するだろうことは容易に理解されるが、怪人は地下＝無意識下の住人であり、地上＝舞台に抑圧されながら、「抑圧されたものの回帰」のごとく、間歇的に地上に侵入しようとする。が、すぐ地下に引き戻されてしまう。屋上にまで一度行きかけるが、クリスティーヌとラウルの恋する姿を見て、今度は超自我のごとく、彼らを地下に引きずり下ろそうとする。ラウルはクリスティーヌを追って屋上に向かい、恋を実らせる。屋上はクリスティーヌの亡き父のいる天国に一番近い場所でもある。その後ラウルは、クリスティーヌを助けようと地下に下りていくものの、怪人の罠に陥り、身動きできなくなってしまう。クリスティーヌは、地下に引きこまれながらも地上に逃げ、一挙に屋上にまで駆けあがるが、また地下に引き戻される。父と怪人、天上と地下に引き裂かれつつ、最終的には地上に戻ってくる。オペラ座の三層構造および三層間の移動がそのまま物語のドラマツルギーに直結していることは一目瞭然だ。

とはいえ、なぜ地下なのか。もちろん、彼の存在が地上で忌み嫌われるからというのが一番の理由だろうが、闇の世界であるからこそ感覚が研ぎ澄まされ、声がいわば直接無媒介的に触覚的快楽となってわれわれを包むからではないだろうか。視覚には距離が必要だが、聴覚はそれを無化する。文字通見えない顔がいわば見える声となってクリスティーヌを魅了するといったらいいだろうか。

り「音を観る」。地下世界は、そのかぎりで、怪人にとって天国に反転し得る可能性を有する。闇を光ある美の世界へと転換させることができるからだ。そこは、死の天使が音楽の天使になることができる場所。ふたりが一体化する所以だ。

醜い顔を隠すため、怪人は仮面をかぶる。〈仮面舞踏会《マスカレード》〉でも言っていたではないか。仮面の洪水、素顔を隠そう、匿名の生を生きようと。

3. 鏡と仮面

またここには、「音楽の天使」と「死の天使」の相克という、もうひとつのドラマが設定されていることも見逃してはならない。ケン・ヒル版では、「音楽の天使」は怪人その人だったが、ロイド・ウェバー版では、「音楽の天使」は怪人であると同時に、クリスティーヌでもあるという点が重要だ。互いが互いにとって「音楽の天使」であり、それゆえに、惹かれあい、もつれあう。しかし怪人は、「音楽の天使」として以上に、「音楽の悪魔」いや「死の天使」として彼女を愛そうとする。彼女を占有しようとする。他方、クリスティーヌには徐々に「音楽の天使」と「死の天使」の見分けがつかなくなる。

「声」に憑かれている彼女は、鏡の扉が出入り口となって、怪人の住む地下の世界に下りていく。鏡のなかに入っていくことは彼の（心の）なかに入っていくことを意味する。地下の世界＝鏡のなかの世界は、実像と虚像が一体となった世界であり、映画版ではそこかしこに鏡が置かれている。

原作の地下世界に鏡はない。にもかかわらず、なぜ怪人は自分の醜さを映し出す鏡を置くのか。クリスティーヌに、醜いのは顔ではなく心と言われてしまうが、おそらく地下ではその仮面が素顔になっているからではないだろうか。鏡像＝虚像に囲まれて生きていけるナルシスティックな空間。クリスティーヌ自身こう歌っていたではないか。

あなたの顔を見た者は――
恐怖のあまり後ずさりする
私はあなたの顔を隠す仮面 mask
彼らが聞いたのは私の声
私たちの魂と声は――
ひとつに結ばれている
ファントム・オブ・オペラはここにいる
私たちの心の中に！（〈オペラ座の怪人〉）

鏡のなかの世界でふたりの距離は一気に縮まる。魂 sprit と声 voice がひとつに結ばれている以上、顔が見えず、声だけが跳梁する世界でふたりは一体化する。にもかかわらず、クリスティーヌは仮面を剥ごうとする。なぜ？　彼女はいまだ声と顔の分離を生きているということだろうか。いや、声と顔の一致を見たかったということだろうか。

もう一ヶ所、クリスティーヌがみずから怪人に近づくシーンがある。劇中劇『ドン・ファンの勝利』の場面だ。アリア〈ザ・ポイント・オブ・ノー・リターン〉は、退路を断ったふたりがもっとも近づく、妖しくも危うい瞬間だ。恐怖と恍惚の入り混じった瞬間。ふたりを見つめるラウルの涙（映画版）が、そのことを証しだてていよう。「お前は私のもの／心を決め、運命に従え」と言うファントムに、クリスティーヌの心は大きく傾く。

ここに来たからには後戻りはできない
もう元には戻れない
私たちの情熱の受難劇 passion-play が――

今から始まる（…）

あとどのくらい待てばいいの？

私たちが結ばれて we're one ――

熱く燃える血が全身を駆けめぐって――

眠ってたつぼみが開くまでに？

情熱の炎に私たちが燃え尽きるのはいつ？（〈ザ・ポイント・オブ・ノー・リターン〉）

春風社の本
好評既刊

文学・エッセイ

この目録は2019年11月作成のものです。これ以降、
変更の場合がありますのでご諒承ください。

春風社
〒220-0044　横浜市西区紅葉ヶ丘53　横浜市教育会館3F
TEL (045)261-3168 ／ FAX (045)261-3169
E-MAIL：info@shumpu.com　Web：http://shumpu.com

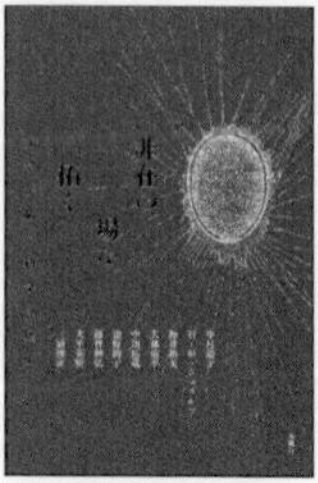

非在の場を拓く

文学が紡ぐ科学の歴史

中村靖子 編

近代科学がもたらした技術は、いかに人間の想像力や表現手段を変容させてきたのか？　文学、映画、分析哲学、神経科学、美術史、建築などの諸分野を横断し、「非在の場」をめぐり思考する10の刺激的論考。

[本体4100円＋税・四六判・586頁]
ISBN978-4-86110-635-4

D・H・ロレンスと雌牛スーザン

ロレンスの神秘主義をめぐって

ウィリアム・ヨーク・ティンダル 著／木村公一、倉田雅美、小林みどり 訳

ロレンスが飼っていた雌牛との神秘的で象徴的な関わりを通し、独自の宗教的思想を確立するに至った過程を綿密にたどる。キリスト教やインド哲学とのかかわりにも論及した特異な思想的評伝。

[本体4000円＋税・四六判・338頁]
ISBN978-4-86110-627-9

翻訳とアダプテーションの倫理

ジャンルとメディアを越えて

今野喜和人 編

ジャンルやメディアの区分が消滅しつつある現代において、オリジナル／ソースに忠実であるという規範は有効なのか。文学や諸芸術における翻訳・アダプテーションの持つ意味を横断的・重層的に考察することで、新たな倫理問題を提起。

[本体3500円＋税・四六判・428頁]
ISBN978-4-86110-621-7

未完のカミュ

絶えざる生成としての揺らぎ

阿部いそみ 著

人間は、完結せず常に現在を生き続ける存在――「生きる」ことに関わる本質的感覚に訴え、人々を魅了し続けるカミュ。「未了性」という視点から作品を分析し、その魅力を改めてひもとく。昔話、ギリシア哲学との関連にも言及。

[本体3700円＋税・四六判・400頁]
ISBN978-4-86110-623-1

Shakespeare Performances in Japan

Intercultural-Multilingual-Translingual

浜名恵美 著

日本における多彩なシェイクスピア上演を、異文化コミュニケーション・相互理解・超言語実践の研究と結び付け、理論と実践の両面から考察。モデルとなる上演を求め、その意義と特色を批判的に解明する。＊本文英語

[本体 5500 円 + 税・A5 判・188 頁]
ISBN978-4-86110-657-6

荒地

T・S・エリオット 著／滝沢博 訳

モダニズム詩の金字塔『荒地』の最新訳。《孤独》という時代の病理をえがく同作を清新な日本語訳で読み直す。作品中に現れるモチーフや制作過程に複数あるエディション間の異同の問題等に着眼した解説も充実。

[本体 2900 円 + 税・四六判・312 頁]
ISBN978-4-86110-649-1

『パターソン』を読む

ウィリアムズの長篇詩

江田孝臣 著

アメリカのモダニズム詩人、W·C·ウィリアムズの代表作『パターソン』。文学的交流から地誌、産業史、政治、人種表象……と様々な角度から読み深めた論考 11 篇と、ニュージャージー州パターソンの街についてのエッセイ 2 篇他を収録。

[本体 3500 円 + 税・四六判・352 頁]
ISBN978-4-86110-645-3

ジョイスの拡がり

インターテクスト・絵画・歴史

田村章 著

ジョイスの作品を「他のテクストとの関係」「視覚芸術との関連」「歴史記述の問題」という三つの観点から解釈し、新たな読みの可能性を提示する。テクストの〈細部〉と〈外部〉を大胆に往還するユニークなジョイス論！

[本体 3500 円 + 税・四六判・316 頁]
ISBN978-4-86110-625-5

●救いと寛容の文学
ゲーテからフォークナーまで

著者：今村武・内田均・川村幸夫・佐藤憲一
本体三五〇〇円＋税
四六判　二三四頁
ISBN978-4-86110-654-5

危難の時における「救い」「寛容」という視点から、アメリカ、イギリス、ドイツの文学作品を読み直し、文学に秘められた精神的挑発性を解き放つ。読者へのガイドとなる作者紹介と作品概略を各章末に収録。

●めぐりあうテクストたち
ブロンテ文学の遺産と影響

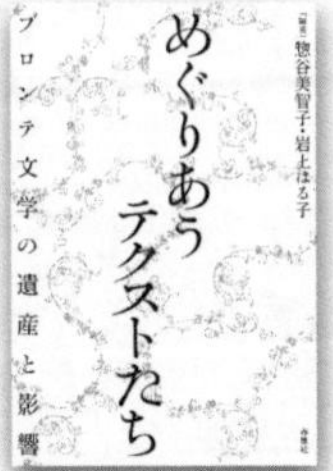

編著：惣谷美智子・岩上はる子
本体三五〇〇円＋税
A５判　四三二頁
ISBN978-4-86110-629-3

シャーロットとエミリの影響を直接・間接に受けた、あるいは何らかの接点を見出しうる同時代および後世の作家・作品を論じ、新たな読みを提示する。「源泉」としてのブロンテ文学の大きさを明らかにする、多彩な論考20篇。

話　題　の　本

●鰰　hadahada

著者：三浦衛
本体二二〇〇円＋税
菊判変型　一〇八頁
ISBN978-4-86110-610-1

かわがみせんせー　まだ　おっかね話　してけねべかな？（「とじぇね」より）　秋田方言満載の詩集。溢れ出る追慕の念と、迸る奇想が、ことばを纏い、戯れる。本文は金属活字による活版印刷。跋文・阿部公彦氏。

●村上春樹　精神の病と癒し

著者：南富鎭
本体二七〇〇円＋税
四六判　三六〇頁
ISBN978-4-86110-652-1

「精神の病は不可逆である。一九七〇年と一九七三年にいったい何があったのだろう」。病理は文化現象であるとの認識に基づき、『風の歌を聴け』から『アンダーグラウンド』に至る村上春樹の文学を精神の病と癒しの側面から読み解く。

ふたりが「ひとつone」になるとき、仮面はもはやいらないはずだ。しかし、クリスティーヌがファントムの仮面を剥ぐや否や、事態は急転直下。仮面をみずから取るのではなく、剥がされたファントムは、いま一度「醜さ」という仮面をかぶらざるを得ない。その醜さという仮面は、母親も肯じなかったクリスティーヌのキスによってはじめて消え去るだろう。実際、映画版の最後では、自分の醜さを映し出す鏡を（もはや仮面はしていない）、ファントムはことごとく打ち壊しながら闇のなかへと消えていく。仮面の人生に終止符を打つかのように。

このミュージカルは、怪人の二面性——人間／怪物、美／醜、天国／地獄、等々の二分法——に終止符を打つ物語だ。それはそのまま、仮面と素顔の関係を生きているクリスティーヌ（「私はあなたの顔を隠す仮面」）との別れを意味する。鏡が使われているのは、実像／虚像をもっとも映し出す装置だからにほかならない。実像の虚像化、虚像の実像化。鏡のなかの世界＝暗黒の地下世界で実像と虚像はひとつになる。それを知ってか知らでか、クリスティーヌは地下から逃れようとする。クリスティーヌはあくまで地上の、光ある世界の住人だからだろう。

忘れていけないのは、〈ザ・ポイント・オブ・ノー・リターン〉の最後で、怪人が歌うフレーズ「誓ってほしい　私と分かち合うと／たったひとつの愛one love　たった一度の人生one lifetimeを／私の手を取り救い出しておくれ／この孤独から」は、ラウルとクリスティーヌの愛の二重唱〈オール・アイ・アスク・オブ・ユー〉の一節であるということだ。この同じメロディラインは、最後の最後でも歌われる。クリスティーヌが指輪を返しにやってきたとき、クリスティーヌが後ろ髪を引かれながら、怪人にこのフレーズを口ずさむ（one lifetime まで）。するとラウルがそのあとを引き継ぎ（「その言葉があれば僕はあなたについていく」）、怪人だけがとり残される。[10] クリスティーヌだけが自分の音楽に息を吹きこんでくれた、いま自分の音楽は終わった！　この三人でつなぐフレーズこそが、『ドン・ファンの（勝利なき）勝利』の結末なのかもしれない。

ここには「死の天使」エリックが（象徴的に）死ぬことによって、「音楽の天使」クリスティーヌが救済されると同時に、「死の天使」そのものも「音楽の天使」として再生するという隠された構造が透けて見える。音楽を支配することからも、さりとて音楽によって支配されることからも解き放たれること。音楽を支配の道具にしてはならない、支配／隷属をはるか超えたところで音楽を享受しなければ——。それこそ、醜悪な顔を隠す「仮面」とその仮面すら隠すことができない「声」の跳梁を生きる、「ドン・ファンの勝利」ならぬ「音楽の天使の勝利」といえるかもしれない。

4.「オペラ座」から遠く離れて

『オペラ座の怪人』の続編『ラヴ・ネヴァー・ダイズ』は、オリジナルの最後から約一〇年後の一九〇七年のニューヨークに舞台を設定されたミュージカル。作曲はもちろんロイド・ウェバー。作詞はグレン・スレーターとチャールズ・ハート（補作）、脚本はロイド・ウェバー、ベン・エルトンが中心となり、グレン・スレイター等が補作に加わった。原案はフレデリック・フォーサイスの『マンハッタンの怪人』[11] だが、ベン・エルトンが翻案したといわれる。

物語は、クリスティーヌ、ラウル夫妻と息子のグスタフがニューヨーク・ブルックリン地区のコニーアイランドにやってくるところから始まる。遊園地ファンタズマに出演するためだ。実はそれを画策した人間こそ怪人だった。遊園地では、オペラ座のマダム・ジリーと娘のメグがすでに働いていたが、そこで衝撃的な事実が判明する。怪人とクリスティーヌが一〇年前に一夜をともにし、子どもができていたという事実だ。それを知ってか知らでか、ラウルは仕事に失敗し、酒やギャンブルに溺れていた。ラウルと怪人の間で揺れ動くクリスティーヌ。彼女は怪人が作った〈愛の賛歌 Love Never Dies〉を歌い切るが、グスタフが見当たらないことに気づく。ファントムの無関心に絶望したメグ（実は彼女は彼を一方的に愛していた）が、泳げないグスタフを桟橋まで連れてきていたのだ。怪人は、拳銃で自殺しようとするメグを説得するが、もみあっているうちに拳銃が暴発し、クリスティーヌに弾があたり、彼女は怪人の腕のなかで死んでいく。グスタフに怪人が本当の父であることを告げて。一時混乱したグスタフも、怪人の仮面を剥ぎながら、父親と対峙する――。

この続編をどう評価すべきだろうか。端的にいって、怪人とクリスティーヌの秘密裡の恋愛関係が過度に特化され、メインストーリーとサイドストーリーが有機的に機能しているように思われない。怪人はあくまでオペラ座の怪人であって、オペラ／オペラ座と切り離すことはできない(12)。オペラ座は単なる書き割りではなく、彼の存在証明、彼が生きる可動空間にほかならないからだ。オペラ座の外に（おそらく）怪人のレゾンデートルはない。なるほど怪人とクリスティーヌは、オペラ座の闇のなかで魂と声がひとつになったように、「月のない夜空の下／何も見えない暗闇」のなかで身も心もひとつになる。闇のなかでふたりは結ばれる。そう、逆にいえば、ふたりは闇によってしか結ばれない。しかし、それが歌のなかで説明されるだけで（暗がりのなかで歌われるだけで）、それにふさわしい装置も演出もない。「愛していたから去った」。『オペラ座の怪人』となにも変わらない。

翻って、タイトルが謳う「愛の不滅」とはなんだろうか。それは誰の誰に対する愛なのか。あるいはなんの愛なのだろうか。愛という言葉が自明のものとして繰り返されるだけに、そのことがかえって気になるのはあまりに野暮だろうか。

コピット『ファントム Phantom』

1．概略

コピット自身、『ファントム Phantom』の構想は一九八三年頃生まれたと語っている。[13] しかし、ロイド・ウェバー版に先を越され、舞台化は遅れた。やっと九〇年に短編テレビドラマとして制作され（なんとロバート・ランカスターが父親役を演じている）、ミュージカル版は九一年にヒューストンで初演されたその後、アメリカ各地で上演されたが、ブロードウェイでは上演されていない。日本では、宝塚で初演（二〇〇四年）・再演（二〇〇六、一一、一八年）され、梅田芸術劇場版『ファントム』（二〇〇八、一〇、一四、一九年）も実現した。宝塚版には新しい楽曲も用意され、進化するミュージカルの一例となっている。作詞・作曲のモーリー・イェストン曰く「ジェローム・ロビンズが『ミュージカルには決して終わりがない』と言ったように、ミュージカルは進化できるのだ」(14)。ほかの場所で公演する場合、原則として手直しを禁止するブロードウェイ・ミュージカルと、その点が大きく異なることはいうまでもない。

2. 仮面＝素顔

コピットはロイド・ウェバー版を観劇したあと、その発想の違いを確信したと語っているが、コピット版は、よりファントムその人に光をあてた作品といえよう。クリスティーヌとの関係を母のそれと重ねあわせ、かつ、父親（オペラ座支配人のキャリエール）を登場させることによって、ファントムの孤独を最終的に救済しているのが特色だ。原作では、母親（ベラドーヴァ）にキスすることを疎まれたエリックだが、コピット版では、醜い顔に母がキスしてくれたことが彼の唯一の生きる支えとなっている。クリスティーヌも、仮面の下の素顔を見て、最初は恐怖のあまり逃げ出してしまうが、最終的には母親のようにファントムをかき抱き、そっとキスするというエンディングだ。

警察に追いつめられたエリックが、父親にみずから撃たれて死ぬことを選択するのは、テレビ版も舞台版も変わらない。ただし、テレビ版では、『ファウスト』のクリスティーヌの歌声（「天使よ舞い下り／神様のもとへ／運べ私のからだを／主の愛に包んで」）に魅せられ、地下から地上＝舞台へ誘われた怪人は、さらに階段をかけ上り、オペラ座の屋根の上で息絶える。そこが自分の居場所でないことを知悉するかのように。いや、そここそが天使の場所であり、屋上の死は、むしろ彼が救済されたことを暗示するかのように。テレビ版の仮面は一様ではなく、ファントムの心象風景のように場面場面によって変わることも見逃せない。わけても、涙顔のピエロの仮面は悲しすぎる。興味深いのは、仮面を外してもまた仮面が現れ、素面ともいうべき最後？ の仮面を剥いだあとも、決してファントムの素顔＝醜い顔を画面に映さないことだ。ロイド・ウェバー版のように、仮面を剥ぐこと＝素顔を見ることが問題なのではなく、仮面／素顔の二重性を超え、仮面の悲哀――素顔もまた仮面でしかない――が強調される。素顔は仮面であり、仮面は素顔である（事実、maskには素顔と仮面のふたつの意味がある）。コピット版があくまで、怪人を好奇の対象としてではなく、孤独な魂の希求者として捉えていることが、このことからも納得できよう。

　宝塚版も物語の大筋は変わらないが、オペラ『ファウスト』はカットされ、父子の関係が強調されたことで、不可避的に母との関係が前景化する形になった。テレビ版ではクリスティーヌ役の女優が母親役も演じているが、宝塚版では、クリスティーヌの声の向こうに母親がいるという解釈だ。彼がなにに飢え、なにを求めていたかがはっきりしよう。母にだけ愛され、ひたすら母を思うファントムは、もうひとりの母＝クリスティーヌによって救済される。そこに恋愛の要素は消え、ロイド・ウェバー版のような心の迷い・揺れは感じられない。

　なお、二〇一九年の梅芸版『ファントム』は、一四年主演の城田優が主演とともに演出を兼ね、クリスティーヌ役の女優が母親役も演じ、物語をシンプルにしていた。

＊＊＊

美男・美女、善玉・悪玉、悪《ワル》と悪女、ダーク・ヒーローとダーク・ヒロイン、さまざまなカップルの組み合わせがあるが、美女と野獣（醜男）のテーマは私たちになにを教えるのだろうか。美男だけれど心は醜い、醜男だけれども心は美しいというのがおおかたのパターンだ。顔形の美醜が問題ではなく、心の美醜が問題だということ。では心が美しければ、すべては解決済みなのか。そんな単純な話ではないだろう。見た目の醜さが美しい心を苛むのだから――。怪人は素顔の醜さを隠すために仮面をかぶるが、人は素顔を隠すために仮面をかぶる。なぜそこまで素顔を隠そうとするのか。素顔＝仮面であるにもかかわらず、なぜ仮面にこだわるのか。翻って、心は目に見えない。見るため／見えるためには「心の目」がなければいけない。それもまた見ることはできないとすれば、あまたの人間は仮面という名の見た目／表層に頼らざるを得ない。見えるものしか信じられないからだ。では、見えるものを通して、見えないものを見るためにはどうしたらいいのか。見えないものが、いわば、神や愛の領域、人知の及ばない／人知を超えた「信」の領域にまで及ぶとすれば――。

徹底して「仮面」「顔」にこだわるオペラ座の怪人は、ひとつのヒントを与えてくれるかもしれない。「音を観る」という、一見矛盾した行為から始めるしかないことを。怪人が暗闇の住人であり、仮面の男であり、「音楽の天使」であるということは、彼の声を、彼の音楽を「観る」ということではないだろうか。闇を聴く＝音を観るという、闇と音、視覚と聴覚の相関こそ、このドラマの隠されたメッセージなのではないのか。

いや、それ以上にここにあるのは、愛することと愛されることの不均衡であろう。美男・美女、相思相愛が一種の神話であるように、愛し愛されることの不均衡こそ、恋愛の実態だろう。怪人の悲劇は愛されない／愛されたことがないことにある。では彼が愛することを知らないのかといえば、そんなことはない。対象がなんであれ、人が誰かに／なにかに心惹かれるとき、すでに「愛」は始まっている。そのかぎりで、片想い——誰かを／なにかをひたすら思い続けること——こそ、恋愛の本質といっていい。とすれば、問題は愛することではなく、愛されることだ。自分を愛せない人間はたしかに他者を愛せないかもしれない。しかし、自分を愛せないからこそ、他者に愛されたいと思うのも事実だ。他者に愛されるとき、人ははじめて自分自身を愛することができるようになる。愛する人が愛してくれるからだ。

仮面の生を生きているはずの怪人が（ある意味で）もっとも素顔をさらし、素顔で生きているはずのあまたの人間が仮面＝匿名性の誘惑に囚われている。（動機がなんであれ）仮面から離れられないのが人の定めだとすれば、仮面を剥ぎたい・捨てたいという欲望も含め、「仮面舞踏会」——仮面の洪水——こそ『オペラ座の怪人』の最大のメッセージといえるかもしれない。

［注］

（1）Gaston Leroux, *La Fantôme de l'Opéra*, Robert Laffont, 1984. を底本とし、ここでは長島良三訳『オペラ座の怪人』（角川文庫、二〇〇〇年）を参照した。

（2）George Perry, *The Complete Phantom of the Opera*, Pavilion Books limited, 1987. は、大きく、起源（オペラ座、原作者ルルーと小説概要）、映画（ロン・チェイニー版とそのほかのヴァージョン）、ロイド・ウェバー版（作品成立まで）、台本という構成からなっており、豊富な写真資料とともに、ロイド・ウェバー版を語るうえで基礎的な文献とみなされる。日本語でも、安倍寧『劇団四季MUSICALS――浅利慶太とロイド＝ウェバー』（日之出出版、一九九六年）、扇田昭彦「『オペラ座の怪人』論」『ミュージカルの時代――魅惑の舞台を解き明かす』（キネマ旬報社、二〇〇〇年）、日経エンタテインメント！編『『オペラ座の怪人』パーフェクトガイド』（日経BP二〇〇五年）などによって、ロイド・ウェバーおよび『オペラ座の怪人』に関する情報を得ることができる。

（3）前掲書『『オペラ座の怪人』パーフェクトガイド』、六四頁。

（4）扇田昭彦は、「怪人」はロイド・ウェバーの魂の下部にひそむ一九世紀型オペラの作曲家であり、『オペラ座の怪人』は、「通俗的な定型と既成の美を臆面もなく引用し、集合化し、変奏する」「過激なウェルメイドのミュージカル＝オペラ」と断じている（前掲書「『オペラ座の怪人』論」、二八七頁）。

（5）前掲書『『オペラ座の怪人』パーフェクトガイド』、六六頁。

（6）原作では、怪人がラウルとの結婚の贈り物としてクリスティーヌに指輪を与えるが、最終的に（埋葬の前に）怪人に戻され、遺体に残っていたという顛末だ。
（7）前掲書『オペラ座の怪人』、二二二頁。
（8）同上、二三〇頁。
（9）同上、二二三頁。
（10）映画版では、ラウルとクリスティーヌが去っていく場面でBGM的にこの曲が流れるだけである。
（11）エリックの誕生からオペラ座に住みつくまでを描いたスーザン・ケイの『ファントム』は『オペラ座の怪人』の前日譚ともいうべき作品であり、他方『マンハッタンの怪人』はロイド・ウェバー版の後日譚ともいうべき作品。
（12）扇田昭彦も、アメリカの世俗的な大衆芸能の世界で、ロイド・ウェバーのヨーロッパ風の音楽は肌合いが違うと指摘する。ロンドン初演が成功しなかった理由もそこにあるのだろう、と（『ミュージカル』VL.332 二〇一四年五～六月）。
（13）Arthur Kopit, "In the beginning, there were no Phantom of Opera musicals. There were just a void." dans CD Phantom, BMG Music, 1993.
（14）平野利光「ファントム――その真実と究極の愛」『宝塚大劇場　宙組公演ファントム』（上演パンフレット、二〇〇四年）。

■資料1　ケン・ヒル『オペラ座の怪人』(1992年)ナンバー(CDライナーノーツ)

第1幕	
1	Welcome Sir, I'm So Delighted (合唱) (原曲：オッフェンバック／喜歌劇『パリの生活』三重唱「案内人の名にかけてもうしますが」1866)
2	Accursed, All Base Pursuit of Earthly Pleasure (ファウスト) (グノー／歌劇『ファウスト』「呪われよ」1859)
3	How Dare Dhe (ラウル) (ヴェルディ／歌劇『シモン・ボッカネグラ』「ええい、畜生！ アメリカがここにいると！」1857)
4	Late Last Night (馬手) (ボイト／歌劇『メフィストフェレス』「わたしは悪魔の精」1868)
5	Love Has Gone, Never Returning (クリスティーヌ) (オッフェンバック／歌劇『ホフマン物語』)「彼女は飛び去った、山鳩よ！」1881)
6	While Floating High Above (ファントム) (ビゼー／歌劇『真珠採り』「耳に残るは君の歌声」1863)
7	She Says She's Got The Nodules (合唱) (オッフェンバック／喜歌劇『パリの生活』「パリに団体でやってきて」1866)
8	What Do I See? (カルロッタ、クリスティーヌ) (グノー／歌劇『ファウスト』「宝石の歌」1859)
9	To Pain My Heart Selfishly Dooms Me (ファントム、ラウル、クリスティーヌ) (オッフェンバック／歌劇『ホフマン物語』「ああ！ 僕の心はまだ迷っている」1881)
10	Entract (間奏曲) (ビゼー／歌劇『真珠採り』「耳に残るは君の歌声」1863)

第2幕	
11	Ah! Do I Hear My Lover's Voice? (ファウスト、クリスティーヌ) (グノー／歌劇『ファウスト』「ああ！ あれはいとしい方の声だわ！」1859)
12	No Sign! See No Sign! (合唱) (ウェーバー／歌劇『魔弾の射手』「わしの期限がもうじき終わるのを」1821 ヴェルディ／歌劇『仮面舞踏会』「地獄の王よ、急げ」1859)
13	The Lake (管弦楽) (曲：アラスティール・マクニール)
14	Somewhere Above The Sun Shines Bright (クリスティーヌ) (ヴェルディ／歌劇『海賊』「わたしの頭から暗い考えを」1848)

15	Born With A Monstrous Countenance (ペルシャの男) (ヴェルディ/歌劇『アッティラ』「ローマの前でわたしの魂が」1846)
16	A Sharp Wipping (管弦楽) (曲:アラスティール・マクニール)
17	What An Awful Way To Perish (合唱) (ドニゼッティ/歌劇『ランメルムーアのルチア』「このような瞬間にわたしを迎えるのは誰か?」1835)
18	Ne'er Forsake Me, Here Remain (Reprise) (ファントム、クリスティーヌ)
19	He Will Not Go Without A Friend (全員) (モーツァルト/歌劇『ドン・ジョヴァンニ』「彼らの生命に同じ報いを受けるのだ」1787)
20	Play Out (管弦楽) (曲:アラスティール・マクニール)
21	While Floating High Above (An Epilogue) (ファントム、クリスティーヌ)

■資料2　ロイド・ウェバー『オペラ座の怪人』(1987年) ナンバー
(オリジナル・ロンドン・キャスト版CDライナーノーツ)

プロローグ	
1	序曲

第1幕	
<劇中劇：ハンニバル>	
2	Think of Me シンク・オブ・ミー (クリスティーヌ)
3	Angel of Music エンジェル・オブ・ミュージック (クリスティーヌ、メグ)
4	Little Lotte リトル・ロッテ (クリスティーヌ、ラウル)
5	The Mirror (Angel of Music) ミラー (エンジェル・オブ・ミュージック) (ファントム、クリスティーヌ)
6	The Phantom of the Opera オペラ座の怪人 (ファントム、クリスティーヌ)
7	The Music of the Night ザ・ミュージック・オブ・ザ・ナイト (ファントム)
8	I Remember... ／ Stranger Than You Dreamt It 怪人の隠れ家 (クリスティーヌ、ファントム)
9	Magical Lasso 舞台裏 (ブケー、マダム・ジリー)
10	Notes.../Prima Donna 支配人のオフィス~プリマ・ドンナ (カルロッタ、ファルマン、アンドレ)
<劇中劇：イルムート：Poor Fool, He Makes Me Laugh >	
11	Why Have You Brought Me Here? ／ Raoul, I've Been There オペラ座の屋上
12	All I Ask of You オール・アイ・アスク・オブ・ユー (クリスティーヌ、ラウル)
13	All I Ask of You-Reprise オール・アイ・アスク・オブ・ユー (ファントム)

第2幕	
14	Entr'acte アントラクト
15	Masquerade ／ Why So Silent...? マスカレード (全出演者)
16	Notes... ／ Twisted Every Way 支配人のオフィス
17	Wishing You Were Somehow Here Again 墓場にて (クリスティーヌ)
18	Wandering Child ワンダリング・チャイルド (クリスティーヌ、ファントム)
<劇中劇：ドン・ファンの勝利>	
19	The Point of No Return ザ・ポイント・オブ・ノー・リターン (ファントム、クリスティーヌ)
20	Down Once More... ／ Track Down This Murderer 地下の迷路／怪人の隠れ家

■資料3　コピット『ファントム』(2019年)ナンバー(梅田芸術劇場版プログラム)

第1幕	
<劇中劇：ハンニバル>	
1	Mélodie De Paris パリのメロディ（クリスティーヌほか）
2	Paris Is A Tomb パリは墓場（ファントム、従者）
3	Dressing For The Night 今宵のために（ソレリ、ガブリエル、ミレイユほか）
4	Where In The World 世界のどこに（ファントム）
5	This Place Is Mine 私のもの（カルロッタ）
6	Home ホーム（クリスティーヌ、ファントム）
7	You Are Music あなたこそ音楽（ファントム、クリスティーヌ）
8	The Bistro ビストロ（カルロッタ、クリスティーヌ）
9	Who Could Ever Have Dreamed Up You 運命の出会い（フィリップ、クリスティーヌ）
10	Dressing For The Night - Reprise 今宵のために
11	This Place Is Mine - Reprise 私のもの

第2幕	
12	Without Your Music 君をなくせば（ファントム）
13	Where In The World - Reprise 世界のどこに
14	The Story of Erick エリックの物語（キャリエール、ベラドーヴァ、エリックほか）
15	Beautiful Boy ビューティフル・ボーイ（ベラドーヴァ）
16	My True Love まことの愛（クリスティーヌ）
17	My Mother Bore Me 母は僕を産んだ（ファントム）
18	You Are My Own 君は私のすべて（ファントム、キャリエール）
19	Beautiful Boy - Reprise ビューティフル・ボーイ（クリスティーヌ）

column 3

スター・アイドル VS パフォーマー

最近の日本のミュージカルは再演ものの場合、主たる役のほとんどがダブルキャスト、トリプルキャストであることが多い。もちろん集客率、作品のリピート率をあげるためであろうが、観客にとっては、さまざまな役者の組み合わせを見ることができるのは大きな喜びだ。演者にとっては大変の一語に尽きるだろうが、歌舞伎以来のスター主義の影響だろうか、とにかく作品というよりは、スターで、役者で見にいくというのが日本の伝統のようだ。この役者がやるから見にいく、いやこの役者で見たい、スター・アイドルの追っかけ（最近は「推し」というのだろうが）の存在こそ、ミュージカル業界、広く芸能業界を活気づける大いなる原動力であることは間違いない。

たとえばフランスの場合、ミュージカルは歴史が浅く発展途上国であるため、既成のミュージカルスターはほとんど存在しない。むしろ、オーディションで勝ち残った役者がヒーロー・ヒロインを演ずることによって文字通りスターになっていく。ミュージカルは、いわばスター誕生の登龍門になっている。実際、『ノートル＝ダム・ド・パリ』初演でカジモドを演じたガルーは、ほとんど無名のケベック出身歌手だったが、いまやフランスを代表する歌手のひとりになっているし、逆に『ロミオとジュリエット』の場合は、初演と九年後の再演でロミオ役は代わらず、ロミオといえばダミアン・サルグといった印象が強い。ガルーを超えるカジモドが現れないように、ロミオもサングのイメージが強すぎるということだろうか。『レント』の映画版も、舞台初演メンバーがほとんど主演しており、初演のイメージがどれほど強烈かということを教えてくれる。再演主演者にとっては高いハードルだ。

日本に眼を転ずると、フランス・ミュージカル『ロミオとジュリエット』はまず宝塚で初演され、ついで日本版が生まれたが、いずれも演者が若く(フランス版初演も、主演ふたりはともに一〇代だった)、「少年・少女の恋」の印象が強い。人気の秘密は、少年・少女たちのアイドル志向とうまくマッチしているということかもしれない。『星の王子さま』も、フランス版の王子は当時一三歳の男の子で、子どもというよりは大人びた少年であり、映画(一九七四年)の王子さま(当時六歳)の印象からはほど遠かった。日本版はそれを意識したのか、すべて王子を女性が演じているのがミソだ。少年の無垢さは現実の少年には演じきれないとでもいうように。わけても、宮崎あおい扮する王子が、主役というよりも諸々の人間たちや動物たちの間をつなぐ媒介者・調停者のような位置にいると感じたのは、演出のためなのか、あるいは宮崎その人のためなのか。演じる者によって役の印象が変わったもっとも典型的な例のひとつだ。

『ドン・ジュアン』の日本上演が教えてくれることも興味深い。宝塚でまず上演され、ついで梅田版ではジャニーズの藤ケ谷太輔が主役を務めた。アイドルが舞台に立つとき、当然ファンはアイドルめあてに劇場にやってくる。役とアイドルのギャップをいかにして埋めるか。当の本人にとってもそれが最大の悩みだろうが、ファン以外の観客の関心もそこにある。どれだけパフォーマーとして魅力的か。その矛盾を解消するためには、アイドルミュージカルを作るしかないと思ったりするが、そうなるとアイドルのファンだけが見るミュージカルになってしまい、うまくいかないのは目に見えている。その意味で印象的だったのは、フェリーニの映画『道』の舞台化で主役を演じた草彅剛だ。声も風貌も、普段テレビで見かける姿とまったく違っており、はじめは気づかなかったほど。アイドル自身による脱アイドル化をまざまざと見せつける舞台だった。あるいは劇団☆新感線とジャニーズメンバーのコラボ。新感線というクセのある劇的空間で、どれだけ彼らが自分のパフォーマンスを演じることができるか。アイドル・スターのミュージカル挑戦から目が離せない。

第 7 章

星の王子さま
見ること・聞くことのレッスン

ここ数年の『星の王子さま』に関する翻訳ラッシュは驚くばかりだが、これもひとえにLe Petit Princeという作品が、簡単な子ども向けの作品に見えて、実は謎めいた、きわめて挑発的な作品であるからだろう。

タイトルからしてそうだ。内藤濯氏の名訳――いうまでもなく、原題に「星の」という形容語は存在しない――は、いわばひとり歩きし、『小さな王子さま』『プチ・プランス』『小さな王子』といくつかのほかのバリエーションは存在するものの、新訳でも「星の」はほとんどそのまま踏襲されている。『赤毛のアン』にも似て、この形容語は、すくなくとも翻訳のレベルでほとんど一体化しており、この呪縛から解き放たれるのはなかなか難しい。他方、この作品の大いなるメッセージ――「大切なものは目に見えない」――が、作者自身による挿し絵を通して、いわば視覚化されている、要するに心でしか見えないはずのものが目に見える形で提示されていることの意味も見すごせない。イメージとエクリチュールの相関という、きわめて今日的なテーマを先取りするかのように、見えるものと見えないものとの両義的な関係がさまざまな解釈を誘う言語＝イメージ装置として機能していることはたしかである。

個々の翻訳・解釈(1)については識者に譲るとして、ここであえてミュージカル版について語ろうと思うのは、そのような言語＝イメージ装置を舞台化し、(2)ミュージカル化する動きがここ数年顕著に表れているからだ。見えない（はずの）ものを見せる、聞こえない（はずの）ものを聞かせることによって、いかなる「見えない、聞こえない」世界が現出され、可能になっているのだろうか。

サン＝テグジュペリ『星の王子さま Le petit Prince』

［あらすじ］

操縦士の「僕」がサハラ砂漠に不時着する。翌日ひとりの少年と出会うが、ある小惑星からやってきた王子だという。彼の星には一輪のバラの花があったが、その花と喧嘩してしまい、王子はほかの星を見にいく旅に出たのだった。彼が訪れた星には、王、自惚れ屋、呑み助、実業家、点灯夫、地理学者といった変な大人ばかりがいた。そして七番目の星である地球にやってくる。地球の砂漠に降り立った王子は、ヘビやキツネ(3)と出会う。キツネは「飼いならす」「絆をつくる」ことの大切さを教える。「お前のバラが大切なのは、お前がバラのために費やした時間があるからだ」。別れ際、キツネは「大切なものは目に見えない」と言う。水がなくなりかけ、「僕」が王子と一緒に井戸を探しにいくと、あるではないか！　飛行機が直り、王子に知らせにいくと、王子はヘビと話をしていた。王子が砂漠にやってきた理由は、一年前、地球に降り立った際と星の配置がまったく同じときに、ヘビにかまれて体だけ置いて自分の惑星に帰るためだった。翌日、王子の姿は跡形もなくなっていた。最後のページには無人の光景が広がるのみ。

1. 概略

サン＝テグジュペリ、通称サンテックス（Saint-Exupéry 一九〇〇～四四年）はフランスの作家、操縦士。リヨンの伯爵家に生まれた貴族でありながら（没落貴族ではあったが）、郵便輸送のパイロットであると同時に、作家としても活躍した。一九三五年、フランス－ベトナム間最短時間飛行記録に挑戦するが、機体トラブルでサハラ砂漠に不時着。このときの経験が『星の王子さま』に活かされているといわれる。その『星の王子さま』は亡命先のニューヨークで書かれ、かつ出版され（英語版とフランス語版）、その後、彼は自由フランス軍に志願するが、一九四四年七月、単機で出撃後、地中海上空で行方不明となった。探索の結果、二〇〇〇年五月、F－5Bの残骸がサンテックスの搭乗機であることが確認され、さらに〇八年、当時Bf109のパイロットであったホルスト・リッパートがサンテックスの偵察機を撃墜したと証言した。彼自身、サンテックスの愛読者だったという。『星の王子さま』はサンテックス自身の挿し絵（大小四七点）から始まったといわれるが、友人のユダヤ人ジャーナリスト、「子どもだった頃のレオン・ヴェルト」に捧げられている。

ひと言でいえば、バラの花から遠ざかる旅から、そのバラの花のもとへ戻る旅の物語といえよう。挫折した「愛」の修復と要約し得るが、それはそのまま「モノ」から「関係」へ、見える世界から見えない世界への旅といえるかもしれない。大人と子ども、眼と心、見えるものと見えないもの、イメージとエクリチュール等々、一見対立関係にありながら、両者は実は両義的な関係にあるのではないか。見えないものが見えるとは、見えるものがいままでとは違って見えることにほかならないし、無垢な子どもも成熟した子ども＝大人によってしか発見され得ないからだ。そのような感慨へと読者を誘う不思議議な作品である。

なぜミュージカルなのかという問いに答える前に、スタンリー・ドーネンによってミュージカル化された映画について語ることが必要だろう。この作品が、以後のミュージカル作品群の主たるレフェランスとなっていることは間違いない。

2. 映画

映画『星の王子さま The Little Prince』は一九七四年のアメリカ・イギリスの合作映画。制作・監督は『雨に唄えば』のドーネン。彼自身「原作をあらためて読んでみて、完全に打ちのめされてしまった。部屋に鍵をかけて、涙にくれたよ」と述べている。作詩・作曲は『マイ・フェア・レディ』のアラン・ジェイ・ラーナーとフレデリック・ロウ、振付は、ダンサーであり振付師の『キャバレー』のボブ・フォッシー。ちなみにフォッシーは、ヘビ役で登場し（ただし、黒のダービー帽とブーツにヘビの皮をあしらった黒ずくめのいでたち）、妖しいヘビウォークならぬフォッシーウォークを披露している。出演は、パイロット役にリチャード・カイリー、王子役に当時六歳のスティーヴン・ワーナーほか。

原作では、バラと別れ、王子は六つの星（王様、自惚れ屋、呑み助、実業家、点灯夫、地理学者）を旅することになっているが、ここでは王様、実業家、歴史家、将軍が登場する四つの星に変えられ、大人の社会批判に特化されている。アニメと実写が入り交じったファンタジックな映像のもと、わけても実業家と歴史家が、魚眼レンズを使ってかなり戯画化されているのが特徴だ。登場人物だけでなく、台詞も相当原作とは異なっている。国境を越えるための書類を要求する王様に対し、「こんな小さな国にどうして国境など必要なの？」と問いかける王子。王様答えて曰く「お前などに国際問題がわかってたまるか。大地を切り刻むのが王の仕事だ」。ついで実業家は「知恵や事業について語るのは、子どもの頭じゃとても無理」と歌い、歴史書を手にした王子の「それは真実ですか？」という問いに「真実？　それはどう綴る？」と逆に聞き返す歴史家。人生について知りたいと言う王子に、「死こそすべてだ。雄々しく死ね、それこそ生きることだ」「まず軍隊を持て、さすれば敵ができる」と豪語する将軍、等々。どの星にも彼ら以外人っこひとり存在せず、孤軍奮闘⁉　している様がおかしい。原作に漂うもの哀しさは存在せず、徹底して他者（への思いやり）を欠いた大人社会がこき下ろされているのは一目瞭然だ。

ともあれ、飛行士の目＝語りを通して、王子との交友が描かれるわけだが、王子の回想としてバラとの別れ、ヘビの誘惑、キツネとの友情が挿入される。原作ともっとも異なるのは、水を求めてオアシスを発見するシーンで、映画では井戸ではなく砂漠のオアシス、それも滝のように水が流れ、溢れ出る泉で、水しぶきをあげながら、ふたりがじゃれあう場面に変わっている。『雨に唄えば』のあの有名な、ジーン・ケリーが雨の歩道で踊る場面を彷彿させるが、ストップモーションで撮影されているぶん、ふたりの嬉々とした様が強調される。「砂漠が美しいのは井戸を隠しているから。夜の砂漠が美しいのは太陽を隠しているから」。原作と違って、映画のちょうど真ん中に「井戸のシーン」が挟まれることによって、歓喜から別離の悲しみへ一直線、というドラマチックな展開の結節点として機能していることも見逃せない。

バラも、ヘビも、キツネもすべて擬人化された形で登場するが、当然それらはいわゆる大人たちとの交流とは一線を画している。三者と王子との関係は端的にその距離に表れる。バラの精はバラの花びらのなかに閉じこめられたままであり、王子と直接触れることはない。ヘビは触れようと思えばいつでも触れることができるが（ヘビが触れるとき、当然それは死を意味する）、即かず離れず、媚びるように、かと思えば挑発するかのように、王子にまとわりついたままだ。キツネだけが遠くから覗き見するように、王子を観察し、少しずつ接近する。王子の左手におそるおそるキツネが手を置き、王子が右手でキツネの頬に触れるとき、ふたりの目線は同じ高さになる。そしてふたりは手を取りあって踊りだす。「時間を無駄使いしたからこそ、楽しい時間になったんだ」。

そのことは、飛行士との関係にもっと直截に表れている。飛行士が子どもだったころ、彼の絵を理解してくれる大人は誰ひとりとしていなかった。その際、大人と子どもの視線の高さを強調するように、子どもは見上げ、大人は見下ろす構図がとられる。同じ目線の高さをもつと思われた教養ある紳士にも理解してもらえず、結局、飛行士は誰とも視線を共有できない。王子が砂漠に忽然と現れたとき、飛行士と王子の視線の高さはやはり大人と子どものそれだが、ふたりが心を通わすにつれて同じ高さになっていく。それゆえ、オアシスの場面は、近づきはじめていたふたりの心が完全に一体化するシーンであり、ふたりはもはや向きあうことなく隣りあったままだ。「愛するということは、けっして互いに見つめ合うことではなく、一緒に同じ方向を見ることだ」（『人間の土地』）。象徴的なのは、最後のシーンで王子が死のうとするとき、横たわったままでもはや立ちあがることができず、飛行士と同じ目線を共有することができないということだ。飛行士の腕に抱かれた王子の姿は、母胎ならぬ自分の星へと帰っていくことを暗示する。王子をしかと腕に抱いたまま、飛行士は「子どもだったころの自分」を奪還する。かくして、砂漠に不時着した飛行士の、いわば死からの帰還は、王子の死が、つまり子どもの奪還がそのまま飛行士の生を可能にしたことを意味しよう。「僕からその笑いを奪わないでくれ／君と会った時　僕は絶望のふち／だが君の笑顔は太陽を呼んだ／忘れかけていた希望や夢が／僕の胸の中に再びよみがえった／星の王子さま　君のお陰だ／そのひとみのお陰だ」。

3．女優が演じる王子

日本におけるミュージカル化の試みとしては、すでに佐藤信（作・演出）、音楽座、白井晃（演出）などの活動が特筆される。

唐十郎、鈴木忠志らと並んで、一九六〇年代の小劇場運動の代表的な旗手のひとり佐藤信の作・演出による『ミュージカル　星の王子さま――サン・テグジュペリ原作による』は、民音・シアターアプル提携公演として一九八五年上演され、八七年に再演されている。音楽・服部克久、振付・謝珠栄、出演・吉田日出子、加藤健一ほか。残された台本によると、主たる登場人物は男と王子と蛇の三人で、舞台は白木の床と布だけ。最後に劇場の天井一杯に七千の星球が輝くと記されている。(4) 蛇の歌う〈謎なぞのうた〉――「探しても見つからない／見つけたものはもともとある／出かけた場所に戻るのに／それでも旅に出かけるかい？」――と、王子が歌う〈だって泉は？〉――「失われたものは何もない／だって泉はもともとここに」――、さらに何度かリフレインされる〈出発の場所〉――「出かけるつもりはなかったのに／気がつくと長い旅／あの日から遠く／あの場所から遠く／この旅はどこから／旅の終わりはどこまで」――が印象的だ。

音楽座ミュージカル『リトルプリンス』は一九九三年に期間限定で公演されたが、その際の脚本・演出は横山由和、音楽・山口琇也、振付・園このみ、美術衣装・朝倉摂。当時の劇評によると、三台のシンセサイザーにパーカッション、チェロを加えて交響楽を意識させ、布を使って砂漠のうねりを見せようとする朝倉の美術が見どころ、とある。(5) 主演は土居裕子と今津朋子

ミュージカル『リトル・プリンス』(音楽座ミュージカル、2011年)。王子役の宮崎祥子、実業家役の新木啓介。
©ヒューマンデザイン

のダブルキャストで、その年の文化庁芸術祭賞を受賞している。その後ミュージカル権を獲得して大幅に改訂。九五年にタイトルを変えて（『星の王子さま'95』）上演された。以降、プロダクションを変えて再演（一九九八年）されており、二〇〇六年秋、音楽座によって久しぶりに再演された（タイトル『リトルプリンス』）。その際の脚本・演出はワームホームプロジェクト（音楽座ミュージカルの創作システム）、音楽・高田浩、金子浩介、山口琇也、美術・伊藤雅子。王子は少年というよりは元気な少女そのものであり、最後に劇場全体が満天の星空と化し、消えた王子の笑い声が虚空に響き渡るラストがとても印象的なミュージカルだ。

演出・白井晃、主演・宮﨑あおいの『星の王子さま』は、二〇〇三年に「テアトル・ミュージカル」――「ミュージカルというよりは音楽に彩られた劇」――と銘打たれ初演、〇五年に再演された。脚本作詞・能祖将夫、作曲音楽監督・宮川彬良、振付・近藤良平。

三作品とも、女性が主人公（星の王子さま）を演じているのがミソだ。王子のイメージがより一層中性化されているといえるかもしれない。とりわけ白井バージョンでは、宮﨑自身ほとんど歌うことなく、ほかの登場人物たちに比し、ますます希薄な存在として現前しているのが特徴だ。ここでは、白井版について少し述べることにしよう。

舞台はほぼ原作に沿って展開され、王子がさまざまな星を巡ったあと、地球に向かうまでが第一部、王子が地球に降り立ってから自分の星に帰っていくまでが第二部となっている。「おとなは、はじめは子どもだった／しかし、そのことを忘れずにいるおとなはいない」という文字が闇のなかに浮かびあがり、上手に滑り台のような高低差のある装置と下手に二重になった大きな輪（映像を映すスクリーンとして機能する回転する鏡）が登場する。始めに飛行士の子ども時代のエピソードが語られるが、その声はすでに宮崎の声であり、飛行士と王子の分身関係、つまり、王子は子ども時代の飛行士であろうことが示唆される。[6] 子どもが砂遊びをするように砂漠で遊んでいるふたりだが、飛行士と王子の年齢が近いぶん、大人と子どもというよりは青年と少年の組み合わせといったほうがいい。したがって、このミュージカルを盛りあげるのは、むしろ王子が語るエピソードの脇役たちのほうかもしれない。花、王様、呑み助（転轍手《てんてつしゅ》と二役）、実業家、点灯夫（大きな車輪のついた巨大自転車の装置とともに登場する）、地理学者、さらにはヘビ（森山開次の踊りが素晴らしい）、キツネ（自惚れ男と二役）、バラたち、それぞれがそれぞれの化粧・衣装・装置に工夫を凝らし、面白おかしく歌い、踊りまわる。

当然のことながら、原作の会話の部分はもちろんのこと、地の文までもが会話に組みこまれ、原作以上にシーン間のつながりが有機的、つまり点が線化していることは否めない。善きにつけ悪しきにつけ、行間の余韻は消え、その代わり舞台転換の明暗や音と沈黙の切り換えを通して、単なるエピソードの羅列＝足し算ではなく、エピソードが掛けあわされるような展開になっている。たとえば、王様、自惚れ男、呑み助、実業家、点灯夫、地理学者は地球上にも存在し、王様が一一一人、地理学者が七〇〇〇人、点灯夫が四六万人、呑み助が七五〇万人、実業家が九〇万人、そして自惚れ屋が三億一千百万という数字の列挙は、ただの事実の指摘ではなく、大人のイメージの強烈な戯画化として作用しているといっていい。あるいは、フィナーレで歌われる「大切なものは目に見えない／でも隠されている心で見れば／大切なものは見えているはず／すぐそこに／すぐそこに／見えているはず」という歌詞。実際、その歌詞を裏打ちするように、最後に宮﨑あおいの王子の映像が鏡に写し出され、大団円となる。可視化＝可聴化することを旨とするミュージカルであってみれば当然の演出だろうが、原作ラストの「無人の光景」とはなんという違いだろう。原作では「無人の光景」に至ったとき、いうならば、読み手がそこに王子を思い描くことができるかどうかが試されているといえるのだが。

このミュージカルの魅力は、ひとえに王子役の宮﨑あおいの魅力にあるといっても過言ではない。子どもでも大人の女性でもない少女、しかも大人でも子どもでもない少年の役であればこそ、この物語が「かつては子どもだった」大人、「子どもであったことを忘れてしまった」大人に語りかけるミュージカルになり得ているのではないだろうか。「人は誰でも心の内に少年を持つ。大人になって人生の危機を迎えたとき、その少年が現れて全力で悩むとはどういうことかを示してくれる」(7)。子どもの声はなかなか大人には届かない。断絶がありすぎるからだ。子どもが大人になるために思春期を通りすぎねばならないように、大人はみずからの童心を発見するために少年を必要とするのかもしれない、大人でも子どもでもない少年を。わけても、その少年を少女が演じるとき、少年は独特の存在感を醸し出す。少年の心をもった少女、いや、少女の心をもった少年。少年と少女のあわいを見せるように、宮崎の王子は、時間的にも空間的にも、此岸と彼岸、地球と宇宙のあわいを垣間見せる不思議な存在となり得ている。その点が、後述するフランス語版ミュージカルとは決定的に異なる。

4. 星の王子さまになるコンスエロ

もうひとつ、興味深いミュージカルがある。宝塚のミュージカル・ファンタジー『サン＝テグジュペリ――「星の王子さま」になった操縦士《パイロット》』（二〇一二年）だ。作演出・谷正純、作曲編曲・吉崎憲治。

このミュージカルは、サン＝テグジュペリ、通称サンテックスの人生を追いながら、彼の作品『夜間飛行』（一九三一年）、『人間の土地』（一九三九年）、『戦う操縦士』（一九四二年）、『星の王子さま』（一九四三年）からの一節をうまく台詞や歌詞のなかにさし挟みながら、虚実入り混じったミュージカルに仕立てあげている。サンテックスは同時に星の王子さまであり、妻コンスエロは赤いバラ、操縦士仲間のアンリ・ギヨメはキツネ、おなじくジャン・メルモーズは自惚れ屋、といった具合だ。現実と虚構（フィクション）が入り混じるだけでなく、過去と現在も交差する。物語全体が、レオン・ヴェルト（サンテックスが『星の王子さま』を捧げた「子どもの心を忘れない」ユダヤ人の友）によって回想される形式をとっているが、最後に喪服のコンスエロが現れることによってサンテックスの死が確認される。その直前にヘビに咬まれて死ぬダンスシーンがあり（当然『星の王子さま』の最後を想起させよう）、ヘビ＝ホルスト・リッパートという元ドイツ軍人によって撃墜されたことが判明する。もちろん、ヘビ＝ホルスト・リッパートは同じ役者によって演じられる。

「心で見なければ大切なものは見えない」「愛とはお互い向かい合うことではなく、お互い同じ方向を見ること」といった有名なフレーズがリフレインされるなか、面白いのは、妻コンスエロがキツネに対しては星の王子さまであり（有名な「飼いならす」シーン[8]）、最後にサンテックスが『星の王子さま』を書きあげ、原稿を読みはじめるや、星の王子さまに同調していくという展開だ。物語の完成と、それまで離れていた夫婦の距離が縮まっていくのが同時並行的に描かれる（「子どもの心で生きていこう。地球は子どもたちから借りたもの」だから）。しかしそれは同時に、出発＝別れ départ のときでもあった。星の王子さまになったのは、それを書いたサンテックスだけではない。それを読む＝聞くコンスエロ、いや、その本を読む人々すべてが「星の王子さま」になるのだろう。「サンテックスは死んでいない。本のなかで生きている」という最後のヴェルトの言葉はその謂だ。それにつけても、星からやってきて星に帰っていく話はもちろん原作通りだが、「星の王子さまになる」という発想はやはり「星の」という日本語訳が効いていることは否めない。

コシアンテ『星の王子さま Le petit Prince』

1．概略

作詞エリザベート・アナイ、作曲リシャール・コシアンテ（一九四六年〜）、演出ジャン＝ルイ・

マルティノティ（バロックオペラの専門家）によるスペクタクル・ミュジカル『星の王子さま Le Petit Prince』は、二〇〇二年一〇月二日、カジノ・ド・パリで始まり、その年のクリスマスにDVDが発売された。

一九九八年、『スターマニア』のケベック出身の作詞家プラモンドンが作曲家コシアンテと組んで、新たなロック・オペラ『ノートル＝ダム・ド・パリ』を制作。大ヒットとなったが、『星の王子さま』はそのコシアンテの作品である。コシアンテはイタリア人を父とし、フランス人を母とする、ベトナム生まれの作曲家で、パトリス・ルコントの映画『タンデム』の挿入曲 Mi refugio で知られる。二〇〇七年六月にはミュージカル『ジュリエットとロミオ　オペラ・ポピュレール（民衆オペラ）』がイタリアで上演された。

さて、星の王子さま役のジェフは当時一三歳。飛行士役のダニエル・ラヴォワは、ケベック人ではないが、ケベックで活躍する歌手だ。フランス本国では、一九八五年の Ils s'aiment のヒットのあと、『ノートル＝ダム・ド・パリ』の司祭役で脚光を浴びた。ちなみに、カジモド役のガルー、グランゴワール役のブリュノ・プルティエ、クロパン役のリュック・メルヴィルもケベックで活躍する歌手である。コシアンテは、ポップコンサートではない「音楽劇 drame en musique」の創造を主張する。「オペラ、オペレッタ、ミュージカルといった形式の最良のものをとりあげ、その語のもっとも高貴な意味で、真に民衆的な物語 histoires populaires に応用しなければいけない」と。(9)

ミュージカルはほぼ原作通りで、献辞から地球までが第一幕（二七シーン）、地球に着いてから別離までが第二幕となっている。舞台奥がスクリーンとなっており、宇宙や地球のさまざまなイメージが映し出される。さらに手前の平面および側面が鏡になっており、照明とあいまって、映像が二重三重に増幅される仕掛けだ。装置らしい装置はほとんどなく、宇宙で出会う脇役たちは皆、ブランコのようなひとり乗りの星にまたがって登場する。ヘビもキツネも着ぐるみで顔は見えないが、わけても、真っ黒な闇に浮かびあがるヘビの動き（操っている役者の姿はほとんど見えない）は圧巻だ。そしてなによりも王子役のジェフ少年の芸達者なこと。文字通りひとりの少年であり、飛行士とのやりとりはまるで父と子のようだ。ふたりのマフラーが同じ色であることもなにか関係があるのだろうか。白井版ともっとも異なるのは、最後に舞台奥に浮かびあがるのが、イルミネーションで縁取られた挿し絵に描かれた王子であり、かつそれが消えてなくなること。文字通り、王子は、飛行士の描いた絵そのもの、要するに彼が見た現実そのもの、「大切な見えないもの」であるかのように。

2．原作との対比

ミュージカルは台詞と歌詞から構成されており、いずれも原作（全二七章）を大きく逸脱することはないが、当然のことながら微妙に手が加えられている（完璧に削られているのは一八章のエピソードだけ）。そのあたりの改変（加筆あるいは追加）の跡を細かく検討することで、最終的にどういう効果が生まれているのか見ていくことにしよう。

①加筆修正

I－5〈目の前をまっすぐ Droit devant soi〉（原作では三章。以下同様）

原作では、羊は綱でつないでおかないとどこかに行って迷子になってしまうよ、と言う飛行士の言葉に対し、「どこへ行ったたっていいさ。ぼくの住んでいるところはとても小さいから」「まっすぐどんどん行ったたって、そう遠くへは行かないよ……」で終わっているが、ミュージカルではそのあとにつぎのような歌詞が付け加えられている。

飛行士「目の前に／君への道を認めることさえできない……」
王　子「目の前をまっすぐ／この道はぼくらになにも教えてくれない／
　もっと満足する se trouver mieux ためには迷わなければならない」

王子は、自分の住んでいる場所はとても狭いから羊は決して迷わないだろうと言いつつも、最後に迷うことの必要性を説いている。約束された道などない、迷いたまえ、と。もっともそのことは地球が大きい以上、しかも道なき道の交差する？　砂漠にいる以上、当然のことかもしれないが。

I－7〈大人ってそんなもの Les grandes personnes sont comme ça〉（四章）

王子の星とおぼしき小惑星Ｂ－６１２は、一九〇九年にトルコの天文学者によって正式に発表されたが、誰にも信用されなかった。その天文学者の突飛な服装のせいだ。そこでトルコの独裁者がヨーロッパ風の服装をしないと死刑に処すというお触れを出し、その天文学者が洒落た衣装で発表をやり直したところ、今度は皆受け入れた、というエピソードのあとに、飛行士はつぎのように付け加える。

服装を除いて／彼のなにも変わってはいなかった／大人ってそんなもの／
大人は見えるものしか／信じようとしない……大人ってそんなもの

ここには、すでに「見えるもの」しか見ない大人／「見えないもの」が見える子どもという伏線が見え隠れする。

I－15〈われ命令す Je t'ordonne〉（一〇章）
王はあくびすること、座ること、質問することをそれぞれ命令するが、ミュージカルでは、間髪入れず「（質問を）止めることを命令する」とひと言付け加えられる。そして「わしの命令は理に適っている／わしを信頼することができる！」と。この歌詞は、後半の「権威 autorité とはなによりも道理 raison に基づく」に対応しよう。

Ⅱ－2　地球上で（一七章）

「ここは砂漠。砂漠には誰もいない。地球は大きいのだ」と言うヘビに対し、王子の答えは、前章（一六章）の地の文からとられている。このミュージカルにおいて、そのようなケースはほとんどなく、珍しい例といっていい。

知っている。二〇億の人間が住んでおり、六大陸全体で四七二五一一人の点灯夫がいることを。遠くから見ると、それは素晴らしい眺めで、オペラのバレエのようだ。まずニュージーランドとオーストラリアの点灯夫が現れ……

ちなみに、原作では点灯夫の数は四六二五一一人、「遠くから見る」は、「高いところから＝離れたところから見ると」である。

Ⅱ－6〈バラの庭 Le jardin des roses〉（二〇章）

世界でたった一輪の花と思っていたバラがここには五〇〇〇本もあり、自分がたいした王子 grand prince でないことを知って号泣するシーン。王子の台詞はほとんど原作通りだが、ここで興味深いのは、五〇〇〇本のバラたちが歌う歌詞が実は「王子の星のバラ」が言った台詞そのものであることだ。つまり「ああまだ眠いわ／ごめんなさい／だらしない格好で／でもわたし、お日さまと一緒に生まれてきたの」。それに続く「なにか朝食を持ってきてくださらない?」「四つのトゲがあるから、虎も怖くない」「風が怖いわ。衝立てはないかしら?」もほとんど原作通りである。

Ⅱ-9〈ぼくのバラだから Puisque c'est ma rose〉(二一章)

キツネと親しくなったあと、もう一度バラを見にいって、王子が「あなたたちは美しい、しかし虚しい。人はあなたたちのために死ぬことはできない」と言うシーン。原作とほとんど変わらないが、「ぼくは永遠にぼくのバラに責任がある」の理由としてあげられる〈ぼくのバラだから〉に若干の変更がみられる。水もあげた、守ってもあげた、耳も傾けた。さらに雨風があたらないようにしてあげた、安心させてあげた。そのあと、「ぼくが愛したバラだから」とはっきり述べていることだ。五〇〇〇本あるバラのためには死ねないが、自分の愛するバラのためには死ぬことができる。まさに愛のために死す、死を厭わないということ。ここで死が、儚さの原因から愛を証明するものへと反転していることが重要だ。王子の帰還(おそらく死)はすでに決まったといっていい。

Ⅱ-21〈世界でもっとも美しく悲しい風景 Le plus beau et le plus triste paysage du monde〉(二七章)

「これは、僕にとって世界でもっとも美しく悲しい風景です」に続く最後の頁だが、ミュージカルでは、少しばかり飛行士の歌詞が変わっている。

世界でもっとも美しく悲しい風景／それは彼がもはやいない風景……
閃光のように見えなくなるこの光／一瞬の間／彼が現れたときのように

原作では、王子の消えた無人の風景を描いた前頁の挿し絵を指すが、ここでは王子がいないこと＝見えないことを確認する内容になっている。

②追加創作

I－9〈バオバブ Les baobabs〉（五章）

原作にあるのは「バオバブには気をつけろ」という注意だけだが、ミュージカル版ではそのあとにつぎのような歌詞が付け加えられている。

バオバブに気をつけろ！
バオバブは惑星を侵略し／窒息させ／ずたずたにする
バオバブを監視し／抜き取り／処分しなければいけない
バオバブに気をつけろ！
とりわけその仕事を先に延ばしてはいけない
なぜって、あとでは遅すぎるから！

バオバブに気をつけろ！
その先端を切らなければいけない！

王子と飛行士と大人たち全員のコーラスになっているところが興味深い。バオバブは共通の敵ということだろうか。

I－11〈彼女のそばで Près d'elle〉（八章）
「彼女のそばで／ぼくは感じる、いままさになされんとする奇跡を／わが惑星を照らしにやってくる太陽を」という歌詞が三度くり返されるが、原作では「なにか奇跡のようなものがなかから現れるのでは、という気がする」としか書かれていない。「ぼくの土地に自分の場所を見つけた、宇宙をさまよう小さな種子よ／おまえは太陽のように美しく、大いなる愛とともにまさに生まれようとしている」。バラに対する王子のはっきりとした愛がうかがえる歌詞だ。なお、太陽を感じる、太陽のように美しいといった歌詞は、原作にもある「ああまだ眠いわ／ごめんなさい／だらしない格好で／でもわたし、お日さまと一緒に生まれてきたの」というバラの台詞と対応している。

I－18〈俺、俺は Moi, je〉（一一章）
プレスリーばりのいでたちで登場する自惚れ屋の歌は以下の通り。

俺は花が好きだ／フットライトを浴びるのが好きだ／お世辞が好きだ、儀礼が好きだ／俺は嘘つきさえ好きだ／そいつらが／俺が聞きたいこと／俺がしたいことを／聞く術を心得ているとき（中略）
俺、俺は一番ハンサム／俺、俺は一番リッチ／俺、俺は一番奇妙／俺、俺って……

俺、俺はこの星でベストの男／しかしそれを認めるのはいつも俺だけ／
俺は人に好かれるのがとても好きだ……

原作では、「崇拝するとは、この星で一番ハンサムで、ベストドレッサーで、金持ちで、おまけに一番賢いと思うこと」であって、「一番奇妙 drôle」という形容詞はないし、いわんや「嘘つきさえ好き」「香具師の口上みんな好き」という台詞はない。このあたりに、作詞者のエスプリが垣間見える。

I－25〈われ記録す Je prends note〉（一五章）
この歌は、まったくの創作というよりは、地理学者の話をいわば翻案したものといったほうがいいかもしれない。

われは記録する／

ノートの奥に閉じこめられ／自分だけの地平線が広がっている／
この書斎はわが牢獄／
われは記録する……

われもなにも見なかったし、いまも見ていない／
われは他人を介してすべてを見たのだ／
動かない旅人として／お前たちの探検を通して……

われは記録する／永遠のものしか書かない／われは記録する／
大地と空／詩と辞書を一杯にする／
かりそめ précaires のものなどどうでもいい／
われは記録する

書斎を牢獄と評するあたり作者の寸評が光るが、「永遠のもの choses éternelles」と対で使われる「かりそめのもの」の説明として、詩と辞書が含まれていること。詩はまだしも、辞書もまたどうでもいいようなことの集積だというのだろうか。逆に永遠＝永久不変のものなどあるのか、と反問したくなる。山や大洋といった「永遠のもの」とは一体なんなのか、と。そのような反問まで見据えたしたたかな歌詞といえよう。

I－27〈地球 La Terre〉（一六章）

このシーンは第一幕の終わりであり、つぎに訪ねるべきは「地球だな」と言う地理学者の言葉を受けて、飛行士が歌うナンバーである。原作の点灯夫たちの仕事ぶりを踏まえた歌になっていることも見逃してはならないだろう。

地球……

エーテルに消えた／泥のしたたり／
そこでは人々はまだ立っている／閃光のとき
この宇宙にある／地球／奇妙で自尊心が高く／特殊で
意志が強く／口をつぐまない／
僕たちを埋葬する／この慈母／それが地球……／地球……

はや王子の死（＝飛行士の再生？）を暗示する歌詞である。

Ⅱ－１〈儚い Ephémères〉（原作に対応箇所なし）

飛行士が歌う第二幕のオープニングナンバー。「大地と空、詩と辞書を一杯にする、あらゆるかりそめのものを忘れるために、人は永遠のものを信じようとする」という一節から始まる。なぜ忘れようとするかといえば、もちろん「僕たちが儚い éphémères 存在だから」である。「飼いならす apprivoiser」同様、「儚い Ephémères」――「いまにも消えてなくなりそう」――は、この物語のキーワードのひとつだが、この物語自体、王子が生の儚さを知ることによって、逆に生のかけがえのなさに気づく物語であるとすれば、この言葉のもつ意味は大きい。

儚い／
つぎにやってくる終わりに脅かされて／
つぎつぎと続く爆発／一時的な愛と栄光……
儚い／
すべてをいくぶん軽やかに捉える／賢さが必要／
そして地球から離れる術を知ること

儚い／
いっときの狂気に取り憑かれて

大空に希望を抱かせ／僕たちを石ころにつなぎとめる／いっときの狂気
儚い／
祈りながら／あまりに不確かな／みずからの定めにひとつの意味を見つける……

儚いからこそ、永遠のものを信じようとする。儚さは結局私たちの死すべき運命へと還元される以上――。人間はその生＝死の条件に耐えられない。では、どうすればいいのか。第二幕は、その儚さがかけがえのなさへと反転する軌跡＝奇跡であり、その意味でも、この歌を始めにもってきたことはドラマ構成をはっきりと見据えた選択といえよう。

Ⅱ－15〈泉を探す Chercher la source〉（二四章）

そっと優しく
王子が眠っているとき、宝物のように運ぶこと
外皮の背後、体の背後に隠されているものを感じること
道を選び、さらに歩くこと……
泉を探すこと／雨水の井戸を見つけること＊

ある星を追うこと
この砂漠に、何度も何度もその星の行く道を再発見すること
この地上の道を知っている手をつかむこと
迷いながらも、半狂乱になりながらも、期待して……
（＊繰り返し）
歩き回った果てに／大空に触れること／本質的なものを見ること……
（＊繰り返し）（＊＊繰り返し）
大熊座のなかに／あるいは無限のなかに
人生の意味を探すこと……

この飛行士のナンバーはほとんどミュージカル全体の結論ともいうべきものである。大切なものは目に見えず、「見えないものを感じる」ためには、歩かなければならない。大切なものとはおそらく、砂漠のオアシスのようなものであり、夜空に輝く一片の星によって導かれるようなものなのだろう。そして、星へと向かう道はおのずとオアシスへと通じるはずだ。オアシス＝泉はまた源泉の意であり、「人生の意味」と通底しよう。かくして、泉を探すこと＝意味を求めることは、井戸を見出すこと＝意味を見つけることにほかならない。見つけることは探すことと表裏一体の関係にあり、見つけるためには探さなければいけない。あるいは探さなければ見つけられない。重要なこと

は歩くこと＝動くことだ。星のあとを追いかけるように道なき道をさまよい、迷わなければならない。

もう一点、ここで忘れてはいけないことは、「大空に触れること」と「本質的なものを見ること」が同格に置かれていることだ。本質的なものは目に見えない以上、それを見ることは「見えないものを見る」ことを意味する。大空を見ることでも、本質的なものに触れることでもないとすれば、見えないものを見るとは、距離をまたいで触れることの謂いであろうか。ここではとりわけ、距離をまたぐことが重要なのかもしれない。

Ⅱ－18〈いつも会えるだろう On aura toujours rendez-vous〉（二六章）

王　子「見た目が違っていても／死んでいるように見えるにしても／
　それは本当ではない
　人は皆永遠 éternité をもっている以上」
飛行士「人は皆心に一輪のバラを持っている／僕たちを怖がらせるあの火山を／
　たくさんの夕陽を／年老いた悪魔たちと素晴らしい出来事を」
一　緒「この砂利（＝宝石）の広がりのなかで僕たちはいつも会えるだろう／
　無感覚な insensibles 魂をもった目には本質的なものが見えない場所で」

感じやすい、敏感な魂 âmes sensibles をもたなければならない。なんのために？　永遠を感じるために。では、先の永遠のもの choses éternelles と永遠性 éternité の違いはなんだろう。永遠のものを信じようとする者と永遠を得ている者との間で決定的に違うことは、前者にはいまだ永遠がなく、後者はすでにそれを手にしているということだ。要するに、愛の対象をもっていること、死ぬに値する対象を有しているということだ。かくして重要なことは、変わるから、死んでしまうから儚いのではなく、儚いからこそ、かけがえのないものだと気づくこと。愛する対象がたったひとりであること、それこそ、儚さとかけがえのなさの両面をカバーするキー概念だ。ほかと同様、消えてしまうから、死んでしまうからこそ、愛おしい。と同時に、ほかのなにものにも代えがたい、唯一の対象であるからこそ、この身を捧げることができる。永遠は信じられるものではなく、日々感じられるもの、探究＝発見されるものといえよう。

＊＊＊

ミュージカル版が原作を超えて、かなりはっきりとしたイメージを打ち出していること、つまり原作では見えないところを可視化し、聞こえないところを可聴化していることはあきらかだ。ある意味、見えるものを見えなくさせる、聞こえるものを聞こえなくさせるのが文学であるとすれば、見えないものを見えるものに、聞こえないものを聞こえるものにすることこそ、舞台芸術に賭けられた使命といえよう。とはいえ、すべてが可視化＝可聴化されるわけではない。見えれば見えるほど、聞こえれば聞こえるほど、見えないもの・聞こえないものもまた増えるからだ。見えるもの／見えないもの、聞こえるもの／聞こえないものの逆説はそこにある。とすれば、見えるものしか見ない、見えないものはあえて見ない――捏造しない――ことこそ、このミュージカルが教えてくれることではないだろうか。私たちは果たしてどれだけのことが見えているのだろう。まずは徹底して見ることから始めるべきではないのか。見えないものを見るとは、実はその謂いではないのか。それは、見えるものしか見ない、見えないものが見えない、いわゆる大人との態度とは似て非なるものだ。大人は見えないものを見ないのではなく、見えない＝見ていないのだ。見えるものであれ、見えないものであれ、徹底して見ること。聞くことについても同様だ。そのかぎりで、ミュージカル版『星の王子さま』は、見えるものと見えないもの、聞こえるものと聞こえないものとの永遠の対立に見えて、実は見ることと聞くことの大いなるレッスンの場といえるのかもしれない。

[注]

（1）*Antoine De Saint-Exupéry, Le Petit Prince avec les dessins de l'auteur*, Gallimard, 1946/87. 翻訳権が消滅して以降、一〇冊以上の訳本が出版された。タイトルはもちろん、たとえば apprivoiser の訳語もさまざまだが、辛酸なめ子訳・絵『「新」訳　星の王子さま』コアマガジン、二〇〇五年）のように、もっともっと翻訳に――たとえば、地方の言葉で翻訳するとか――遊びがあってもいい。

（2）舞台化された作品はミュージカルだけではない。たとえば、ギィ・グラヴィス劇団は、サン＝テグジュペリの遺族とガリマール社から唯一上演を許可されている劇団で、一九七一年以降世界中で公演し続けているが、日本にも八七、八八、九〇年と三度来日している。映画版も、もちろんミュージカル仕立てばかりでなく、ジャン＝ルイ・ギエルモン『星の王子さま』（一九八三年）やジャン＝ルイ・ギエルム『星の王子さま』（一九九〇年）、アナンド・タッカー『星の王子さまを探して――サン＝テグジュペリ～魂の軌跡』（一九九五年）などは通常の？　映画である。マーク・オズボーン『リトルプリンス――星の王子さまと私』（二〇一五年）はアニメ映画。現代オペラ（作曲ミカエル・レヴィナス、二〇一四年等）もいくつか存在する。

（3）挿絵からも、ここでいうキツネがアカギツネではなく、両耳と尾の異様に長いフェネック fennec であることがわかる。サン・テグジュペリは砂漠のなかのキャップ＝ジュピー飛行場長時代、「フェネック＝キツネ、つまり、群れを成さない性質のキツネを育てています。ネコよりも小さく、長大な耳を持っていて、なんとも可愛らしい」と妹宛の手紙に書いている。

（4）劇評によれば、王子役の吉田のいでたちは「さらさらの今風おかっぱ頭で上着とお揃いの少々短かめのズボンに編み上げの靴」、舞台は「銀河の描いてある回り舞台にテーブルと椅子、小道具の入った箱、そして子供が物干のシーツでお芝居ごっこをするようなイメージの幕だけ」とある（有州井仁子「キミはボクの心の星」『テアトロ』五三〇号、一九八七年四月）。

（5）『ミュージカル』一二八号、ミュージカル出版社、一九九五年九月、一八頁。

（6）白井晃自身、王子は飛行士自身の少年期の姿であるはずだ、と述べている（『ミュージカル』二二一号、ミュージカル出版社、二〇〇三年六月、二六頁）。稲垣直樹も「飛行士が自分自身、ないしは自分自身の無意識と交わした対話という説明も可能」（『「星の王子さま」物語』平凡社新書、二〇一一年、一二二頁）としている。

（7）能祖将夫「旅の途中で」『ミュージカル　星の王子さま』パンフレットより。サン＝テグジュペリ自身「ぼくは子供時代の者だ。ひとつの国の者であるように子供時代の者だ」（『戦う操縦士』）と書いていたことを想い出そう。

（8）コンスエロの風貌は実際王子さまに近かったようで、コンスエロ自身、サン＝テグジュペリの絵のためにポーズもとったと証言している。前掲書『「星の王子さま」物語』参照。

（9）Devoir, 2003.5.3, Sylvain Cornier の記事。

■資料　原作とコシアンテ『星の王子さま』対照表(＊印がついているものはナンバー)

※原作およびミュージカル版も歌以外は小見出しはないが、比較をわかりやすくするため付す。

原作		ミュージカル版	
		第一幕	
献辞レオン・ヴェルトへ		1	Dédicace 献辞＊
1	ウワバミ	2	飛行機事故／子どもの家
		3	C'est un chapeau それは帽子だ！＊
2	ヒツジ	4	夜の飛行機／日の出
			羊を書いてよ／日の入り
3	王子	5	Droit devant soi 自分の前をまっすぐ＊
4	天文学者	6	大人たち
4	天文学者	7	Les grandes personnes sont comme ça 大人ってそんなもの＊
5	バオバブ	8	日の出
5	バオバブ	9	Les Baobabs バオバブ＊
6•7	日の入り、花	10	日の入り／砂漠の４日目／花
		11	Près d'elle 彼女のそばで＊
8	花	12	バラ
9	出発＝別れ	13	Adieu (Et tâche d'être heureux) さよなら（そして幸せになって)＊
		14	王
10	王様	15	Je t'ordonne われ命令す＊
10	王様	16	専制君主
11	自惚れ屋	17	自惚れ屋
11	自惚れ屋	18	Moi, je 俺、俺は＊
11	自惚れ屋	19	呑み助
12	呑み助	20	Je bois pour oublier 忘れるために呑む＊
13	ビジネスマン	21	Je suis un homme sérieux 私は真面目な男＊
13	ビジネスマン	22	ビジネスマン
14	点灯夫	23	点灯夫
			C'est la consigne! それは命令＊

15	地理学者	24	地理学者
		25	Je prends note われ記録す＊
		26	地球
15	地球	27	La Terre 地球＊

		第二幕	
17	ヘビ	1	Ephémères 儚い＊
17	ヘビ	2	地球上で
		3	Le Serpent ヘビ＊
17	ヘビ	4	人間たちはどこ？／サボテン（困難、障害）
19	こだま	5	山
			L'Echo こだま＊
20	バラ	6	Le Jardin des roses バラの庭＊
21	キツネ	7	キツネ
21	キツネ	8	Apprivoise-moi ぼくを飼いならして＊
21	キツネ	9	Puisque c'est ma rose ぼくのバラだから＊
22	転轍手	10	最初の砂塵／街
22	転轍手	11	L'Aiguilleur 転轍手
23	薬商人	12	薬商人／第二の砂塵
		13	日の出／砂漠への帰還／八日目：日の入り
24	井戸	14	探索
24	井戸	15	Chercher la source 泉を探す＊
25	井戸	16	井戸
26	出発	17	壁
		18	On aura toujours rendes-vous いつでも会えるだろう＊
		19	C'est triste d'oublier un ami 友だちと別れるのは悲しい
26	出発	20	出発＝別離
27	帰還	21	Le plus beau et le plus triste paysage du monde 世界でもっとも美しく悲しい風景＊

あとがき

ここ一〇数年、筆者は勤務する大学のある講義で「翻案」をテーマに実験的授業を試みている。もともとフランス思想・文化が専門であるが、いうならば本場と現場がひとつであったフランス本国を離れ、日本で教壇に立つようになって以来、日本で外国文化について語ることの意味を日々問わざるを得ない状況に置かれることになった。フランス語を読むこととそれを日本語に翻訳すること、原文に縛られ、どこまでも文法的に正確に・忠実に読むという作業と、それをあたうかぎり等価・的確な日本語に置き換えるという作業、いわゆる直訳と意訳の狭間で、日々揺れ動くことになった。言語翻訳から文化翻訳へ。外国語を学んだものなら（程度の差はあれ）多かれ少なかれぶつかる問題であろう。外国語・外国文化を直に学んだ以上その経験を活かしたい、と同時に、自分が目下生きている日本の文脈のなかでなんとかそれを活かす方法はないものか。本書は、そんな試行錯誤の結果である。もちろん、筆者の映画好き・舞台（特にミュージカル）好きも加味されてはいるが、中心は原作―翻案の意味・可能性を探ることだ。

それは大きく、解釈の行方をめぐって、原作の読解可能性の深化と翻案そのものの可能性の拡大、という二点に帰着することになった。言い換えるなら、前者は原作の見えざる読解可能性に収斂していく作品、後者は原作の枠組みを借りつつ、新たなジャンルの地平を垣間見せてくれる作品。

たとえば『ロミオとジュリエット』はいわば恋愛のバイブル。エロス的恋愛（情熱恋愛）の極致といっていいが、『ウエスト・サイド・ストーリー』によってアガペー的愛の可能性がはっきりと示唆されることになった。『星の王子さま』もそうだ。イメージとエクリチュールという構図が、ミュージカル版によってより鮮明になったことは疑い得ない。

一方、『レント』は原作の枠組を借りて、まったく新たな世界を見せてくれる。芸術、恋愛、病気といった各要素がさまざまなアーティスト像、さまざまな恋愛劇、死に直面して生きることを余儀なくされたさまざまな人間ドラマへと繰り広げられていった。『オペラ座の怪人』も同様だ。原作の舞台であるパリのオペラ座、地下の住人である怪人、恋愛といった要素が拡大され、オペラの新旧競演、美女と野獣的メロドラマ、親子の人間ドラマへと発展していった。

加えて、『マクベス』『ドン・ジュアン』『カルメン』の最新のミュージカル版が、これまでの原作の作品論・研究史の蓄積と翻案物（映画、オペラ、演劇ｅｔｃ.）の産物の交差する場所で、いわば両者を総合するような広がり・深まりをみせていることはさらなる発見だった。原作の読解可能性と他ジャンルの大胆な挑戦がうまく噛みあい、解釈の面からもジャンルの可能性の点からも思いがけない結果＝効果をもたらしている。作品世界の縦軸・横軸、いや垂直軸・水平軸、さらには奥行の広がり・深まりは、翻案作品が、原作単体を超えて、（文化史・文化圏という）時間と空間、歴史と社会を大きく内包するものであることを教えてくれる。

そのかぎりで、原作は翻案の展開、翻案のたえざる試みによってしか真に原作たり得ない。たえざる自己更新、自己生成こそ、原作―翻案の大いなる魅力である。「転生する物語」に終わりはない。

奇しくも、本書で取りあげた作品は、程度の差はあれ皆「愛」をめぐる作品群であり、自他の関係、他者との距離が前景化し、問題化する旅でもあったことを付け加えておきたい。

最後に、出版企画、原稿整理、ゲラチェックと、陰に陽に筆者の仕事をサポートしてくださった春風社編集部の下野歩さんに心より感謝の念を捧げたい。彼女の優しくも厳しい「プロの眼」がなかったなら、完走することはできなかっただろう。本当にありがとうございました。そして、このささやかな一冊を、先日「ありがとう」のひと言を残して世を去ったわが母へのたむけとしたい。

二〇二〇年二月末日

渡辺　諒

主要参考文献（書籍のみ）

【ロミオとジュリエット】

秋島百合子『蜷川幸雄とシェークスピア』角川書店、二〇一五年。

河合祥一郎『『ロミオとジュリエット』恋におちる演劇術』みすず書房、二〇〇五年。

ウィリアム・シェイクスピア著、岩崎宗治編注『ロミオとジュリエット』大修館書店、一九八八年。

ウィリアム・シェイクスピア著、大場建治編注訳『ロミオとジュリエット』研究社、二〇〇七年。

ウィリアム・シェイクスピア著、小田島雄志訳『ロミオとジュリエット』白水社、一九八三年。

ウィリアム・シェイクスピア著、河合祥一郎訳『新訳　ロミオとジュリエット』角川文庫、二〇〇五年。

ウィリアム・シェイクスピア著、松岡和子訳『シェイクスピア全集（1）　ロミオとジュリエット』ちくま文庫、一九九六年。

ハンフリー・バートン著、棚橋志行訳『バーンスタインの生涯（上）』福武書店、一九九四年。

アーサー・ブルック著、北川悌二訳『ロウミアスとジューリエット』北星堂書店、一九七九年。

マイケル・ボグダノフ著、近藤弘幸訳『シェイクスピア ディレクターズ・カット――演出家が斬る劇世界』研究社、二〇〇五年。

細谷等・中尾信一・村上東編『アメリカ映画のイデオロギー――視覚と娯楽の政治学』論創社、二〇一六年。

本橋哲也『深読みミュージカル――歌う家族、愛する身体』青土社、二〇一一年。

森祐希子『映画で読むシェイクスピア』紀伊國屋書店、一九九六年。
Irene G.Dash, *Shakespeare and the Americain Musical*, Indiana University Press, 2010.
Keith Garebian, *The Making of WSS*, ECW Press, 1995.

【マクベス】


上島春彦『血の玉座――黒澤明と三船敏郎の映画世界』作品社、二〇一〇年。

黒澤明『全集　黒澤明』第四巻、岩波書店、一九八八年。

黒澤明『蝦蟇の油――自伝のようなもの』岩波書店、一九九〇年。

佐藤忠男『黒澤明の世界』三一書房、一九六九年。

佐藤忠男『黒澤明解題』（同時代ライブラリー）、岩波書店、一九九〇年
ウィリアム・シェイクスピア著、小田島雄志訳『マクベス』白水社、一九八三年。

ウィリアム・シェイクスピア著、河合祥一郎訳『新訳　マクベス』角川文庫、二〇〇九年。

ウィリアム・シェイクスピア著、松岡和子訳『シェイクスピア全集（3）　マクベス』ちくま文庫、一九九六年。

ラッセル・ジャクソン編、北川重男監訳『シェイクスピア映画論』開文社出版、二〇〇四年。

扇田昭彦『蜷川幸雄の劇世界』朝日新聞出版、二〇一〇年。

高橋豊『蜷川幸雄伝説』（人間ドキュメント）、河出書房新社、二〇〇一年。

都筑政昭『黒澤明――その作品研究』（下）、すばる書房、一九七六年。

蜷川幸雄『Ｎｏｔｅ１９６９～２００１』河出書房新社、二〇〇二年。

蜷川幸雄、長谷川浩『演出術』紀伊國屋書店、二〇〇二年。

松岡和子『すべての季節のシェイクスピア』筑摩書房、一九九三年。

ロジャー・マンヴェル『シェイクスピアと映画』白水社、一九七四年。

本橋哲也『侵犯するシェイクスピア――境界の身体』青弓社、二〇〇九年。

『文藝別冊　黒澤明』（ＫＡＷＡＤＥ夢ムック）、河出書房新社、一九九八年。


【ドン・ジュアン】


グラッベ著、小栗浩訳『ドン・ジュアンとファウスト』現代思潮社、一九六七年。

小瀬村幸子訳、海老澤敏・高崎保男協力『モーツァルト　ドン・ジョヴァンニ』（オペラ対訳ライブラリー）、音楽之友社、二〇〇二年。

ホセ・ソリーリャ著、高橋正武訳『ドン・フアン・テノーリオ』岩波文庫、一九四九年。

アレクセイ・トルストイ、柴田治三郎訳『ドン・ジュアン』岩波文庫、一九五一年。

西川尚生『モーツァルト』（作曲家・人と作品シリーズ）、音楽之友社、二〇〇五年。

水林章『ドン・ジュアンの埋葬――モリエール『ドン・ジュアン』における歴史と社会』（歴史のフロンティア）、山川出版社、一九九六年。

モリエール著、鈴木力衛訳『モリエール全集』（１）、中央公論社、一九七三年。

ティルソ・デ・モリーナ著、佐竹謙一訳『セビーリャの色事師と石の招客』、岩波文庫、二〇一四年。

『魅惑のオペラ11　モーツァルト：ドン・ジョヴァンニ』（小学館 DVDBOOK）、小学館、二〇〇七年。


【カルメン】


安藤元雄訳『ビゼー　カルメン』（オペラ対訳ライブラリー）、音楽之友社、二〇〇〇年。

鹿島茂『悪女入門――ファム・ファタル恋愛論』講談社現代新書、二〇〇三年。

ミシェル・カルドーズ著、平島正郎・井上さつき訳『ビゼー――『カルメン』とその時代』音楽之友社、一九八九年。

工藤庸子『フランス恋愛小説論』岩波新書、一九九八年。

ジークフリート・クラカウアー著、平井正訳『天国と地獄――ジャック・オッフェンバックと同時代のパリ』せりか書房、一九八一年。

末松壽『「メリメの『カルメン』はどのように作られているか――脱神話のための試論』九州大学出版会、二〇〇三年。

利倉隆『カラー版　エロスの美術と物語――魔性の女と宿命の女』美術出版社、二〇〇一年。

永竹由幸監修『新潮オペラCDブック4　ビゼー　カルメン』新潮社、一九九五年。

松浦暢『宿命の女――愛と美のイメジャリー』平凡社、一九八七年。

プロスペル・メリメ著、工藤庸子訳・解説『カルメン』新書館、一九九七年。

プロスペル・メリメ著、平岡篤頼訳『カルメン／コロンバ』講談社文芸文庫、二〇〇〇年。

『魅惑のオペラ3　ビゼー：カルメン』（小学館 DVDBOOK）、小学館、二〇〇七年。

安藤元雄（台本）・倉田裕子（本文）訳『名作オペラブックス8　ビゼー　カルメン』音楽之友社、一九八八年。

【レント】

小山内伸『進化するミュージカル』論創社、二〇〇七年。

モスコ・カーナ著、加納泰訳『プッチーニ　作品研究』、音楽之友社、一九六八年。

小瀬村幸子訳『プッチーニ　ラ・ボエーム』（オペラ対訳ライブラリー）、音楽之友社、二〇〇六年。

南條年章『プッチーニ』（作曲家・人と作品シリーズ）、音楽之友社、二〇〇四年。

アンリ・ミュルジェール著、辻村永樹訳『ラ・ボエーム』光文社古典新訳文庫、二〇一九年。

『魅惑のオペラ15　プッチーニ：ラ・ボエーム』（小学館ＤＶＤＢＯＯＫ）、小学館、二〇〇八年。

【オペラ座の怪人】

安倍寧『劇団四季ＭＵＳＩＣＡＬＳ――浅利慶太とロイド＝ウェバー』日之出出版、一九九六年。

扇田昭彦『ミュージカルの時代――魅惑の舞台を解き明かす』（キネ旬ムック）、キネマ旬報社、二〇〇〇年。

日経エンタテインメント！編『『オペラ座の怪人』パーフェクトガイド』（日経ＢＰムック）、日経ＢＰ、二〇〇五年。

ガストン・ルルー著、長島良三訳『オペラ座の怪人』角川文庫、二〇〇〇年。

George Perry, *The Complete Phantom of the Opera*, Pavilion Books limited, 1987.

【星の王子さま】

稲垣直樹『「星の王子さま」物語』平凡社新書、二〇一一年。

加藤晴久『憂い顔の『星の王子さま』——続出誤訳のケーススタディと翻訳者のメチエ』書肆心水、二〇〇七年。

サン・テグジュペリ、内藤濯訳『星の王子さま』岩波書店、一九六二年。

サン・テグジュペリ『サン＝テグジュペリ・コレクション』全七巻、みすず書房、二〇〇一年。

山崎庸一郎『『星の王子さま』のひと』新潮文庫、二〇〇〇年。


【ミュージカル／翻案全般】

岩崎徹・渡辺諒編『世界のミュージカル・日本のミュージカル』（横浜市立大学新叢書9）、春風社、二〇一七年。

小川公代・村田真一・吉村和明編『文学とアダプテーション——ヨーロッパの文化的変容』春風社、二〇一七年。

小山内伸『進化するミュージカル』論創社、二〇〇七年。

米谷郁子編『今を生きるシェイクスピア——アダプテーションと文化理解からの入門』研究社、二〇一一年。

扇田昭彦『ミュージカルの時代——魅惑の舞台を解き明かす』（キネ旬ムック）、キネマ旬報社、二〇〇〇年。

リンダ・ハッチオン著、片渕悦久・鴨川啓信・武田雅史訳『アダプテーションの理論』晃洋書房、二〇一二年。

波戸岡景太『映画原作派のためのアダプテーション入門——フィッツジェラルドからピンチョンまで』（フィギュール彩97）、彩流社、二〇一七年。

渡辺裕『宝塚歌劇の変容と日本近代』新書館、一九九九年。

渡辺諒『フランス・ミュージカルへの招待』春風社、二〇一二年。

Jean-Francois Brien, *Les Comédies musicales de Starmania aux Dix Commandements*, Hors Collection, 2002.

【著者】渡辺 諒（わたなべ・りょう）
一九五二年生まれ。早稲田大学教授。
主要著書に、『『エリザベート』読本―ウィーンから日本へ』（青弓社、二〇一〇年）、『フランス・ミュージカルへの招待』（春風社、二〇一二年）など、共著に『文学とアダプテーション―ヨーロッパの文化的変容』（春風社、二〇一七年）、編著に『横浜市立大学新叢書9　世界のミュージカル・日本のミュージカル』（春風社、二〇一七年）がある。

転生《てんせい》する物語《ものがたり》――アダプテーションの愉《たの》しみ

二〇二〇年四月一三日　初版発行

著者　渡辺 諒　わたなべ・りょう

発行者　三浦 衛
発行所　春風社　Shumpusha Publishing Co., Ltd.
横浜市西区紅葉ヶ丘五三　横浜市教育会館三階
〈電話〉〇四五・二六一・三一六八　〈FAX〉〇四五・二六一・三一六九
〈振替〉〇〇二〇〇・一・三七五二四
http://www.shumpu.com　✉ info@shumpu.com

装丁・レイアウト　大國貴子
印刷・製本　シナノ書籍印刷株式会社

乱丁・落丁本は送料小社負担でお取り替えいたします。

ISBN 978-4-86110-685-9 C0074 ¥2500E